La plus jolie fin du monde

ZVIANE

La plus jolie fin du monde

Glouglouglouglouglouglou

mécanique générale

« Le ton d'un évènement est déterminé
par son point d'arrivée. »

- Luce Beaudet

a été publié sous la direction de Jimmy Beaulieu.
Correction : Marie Lauzon

© 2007 Zviane et mécanique générale
Montréal (Québec) Canada

ISBN 978-2-922827-36-1

Diffusion au Canada : Diffusion Dimedia inc.
Diffusion en Europe : Le Seuil

Nous remercions le Conseil des Arts du Canada de l'aide accordée à notre programme
de publication et la SODEC pour son appui financier en vertu du Programme d'aide
aux entreprises du livre et de l'édition spécialisée.

Nous reconnaissons l'aide financière du gouvernement du Canada par l'entremise du
Programme d'aide au développement de l'industrie de l'édition (PADIÉ) pour nos
activités d'édition.

Gouvernement du Québec – Programme de crédits d'impôt pour l'édition
de livres – Gestion SODEC

Dépôt légal – 4e trimestre 2007
Bibliothèque et Archives nationales du Québec
Bibliothèque et Archives Canada

**Catalogage avant publication de Bibliothèque et Archives nationales
du Québec et Bibliothèque et Archives Canada**

Zviane

La plus jolie fin du monde
Bandes dessinées.

ISBN 978-2-922827-36-1

I. Titre.
PN6734.P58Z94 2007   741.5'971   C2007-941769-8

3 février 2006 : Le chiffre 13 est un mauvais chiffre. Les jeudis matins, je vais faire des longueurs au Cepsum avec Maxime.

D'habitude, je fais 12 longueurs (12 allers-retours, donc 24 longueurs en fait) mais hier, j'en ai fait 13...

QUELLE ERREUR !

Ce chiffre malchanceux m'a collé à la peau toute la journée...

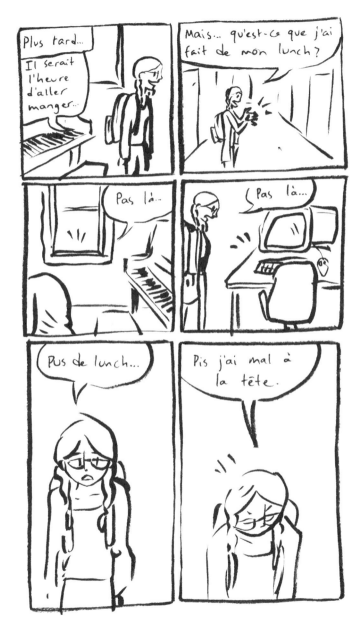

Mais c'est rien, ça. Je participais avec Julien-Bob au Labo du CéCo.

et ainsi de suite jusqu'à la FIN

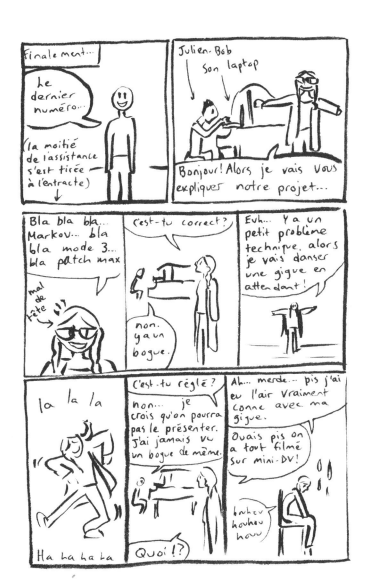

Moralité: plus jamais 13 longueurs!

13 février 2006 : Réunion du CéCo.

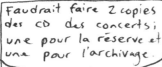

Faudrait faire 2 copies des CD des concerts; une pour la réserve et une pour l'archivage.

Ok... je vais devoir aller chercher les CD et les copier...

Pis on a un système de cote pour bla bla bla bla

Bla bla bla réserve bla...

Je pourrais peut-être faire ça demain... Non, attends, faut que je pratique le piano.

Bla bla bibliothèque bla bla...

Il faudrait que je passe à l'école, je prenne les CD, j'arrive chez nous, je fasse les mises à jour pour le site du CéCo...

bla bla partitions bla...

..faut envoyer un e-mail à Fred pour... ah merde, faut que j'avance dans le découpage du chapitre 4 de ma B.D.

blabla budget bla bla...

Ouais, c'est ça que je vais faire: le site en premier, le découpage, les e-mails... et.... merde, y a aussi mon devoir d'harmonie!

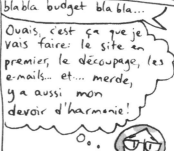

9

bla bla bla bla bla

...et mon lavage! Quand est-ce que je fais mon lavage? Et l'épicerie?!

bla bla bla bla

Pis avec tout ça, j'avance pas en piano et dans la bichromie du dernier chapitre de ma B.D.! Le deadline approche!

Allez, je dois quitter! Alors tout le monde rédige sa description de tâches le plus tôt possible!

ok.

Pourquoi dois-je en faire autant?

Je ne suis pas obligée.

Personne ne me force à faire autant d'affaires.

Probablement
pour la
reconnaissance
des autres.

Je veux
qu'ils m'aiment.

Au concert du CéCo,
y a Fred qui disait qu'il
n'écrivait de la musique
que pour lui-
même.

Je ne
suis pas
comme ça.

J'écris de la
musique pour
l'auditeur et
pour l'interprète.

J'ai besoin de ce
regard des autres,
je ne trouve de
sens que lorsqu'on
me regarde.

Je travaille
fort, regardez-
moi!

Regardez-moi!

JE

ME

TRANSFORME

EN

MONSTRE

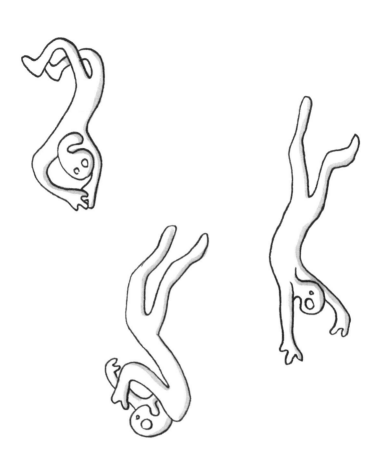

Mais ils
ne
ressemblent
pas à
des monstres.

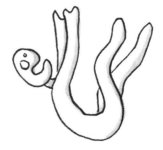

13

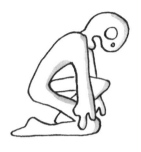

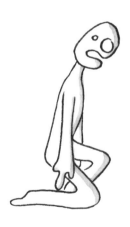

Ce sont les monstres
que l'on ne regarde pas.

19 février 2006: Au Petit Medley.

Pardonnez mon dernier carnet... Je vais mieux maintenant, mais je suis en sérieuse remise en question.

Il y a eu le concert au Petit medley jeudi dernier, et je m'y suis sentie mal à l'aise.

J'y suis allée avec Alain Lalonde. Il discutait avec son voisin, que je ne connaissais pas.

bla bla
bla
bla

inconnu   Alain   Moi

On est au Petit medley, super serrés, puis là Alain me présente:

Gilles, c'est Sylvie-Anne Ménard.

!

Sylvie-Anne, c'est Gilles Tremblay.

Vous êtes... LE Gilles Tremblay !?

Eh oui.

Pour ceux qui ne le savent pas, Gilles Tremblay est une figure mythique dans le petit monde de la musique contemporaine québécoise.

Eille... Gilles Tremblay...

Wo, attends deux minutes... il va entendre ma toune!

Après une toune électro de Micheline Coulombe Saint-Marcoux (que j'ai bien aimée), c'est ma toune.

La pianiste joue mal.

Je ne peux pas lui en vouloir. Je suis moi-même pianiste, je sais que ça ne tient qu'à un fil.

Il suffit d'être un peu fatigué, d'avoir mal au ventre, pour tout rater. Ça arrive, quoi.

Elle salue à la fin.

clap   clap   clap

clap

Mais je me demande si je dois aussi aller saluer.

Elle va se rasseoir. Bon, alors j'y vais pas.

clap   clap

clap

clap

... mais elle se relève!

J'y vois un cue. Je me lève et j'essaie de me faufiler en avant pour saluer.

clap
clap
Pardon
clap
clap

Mais la pianiste a fini de saluer et va se rasseoir.

J'arrive sur la scène comme un cheveu sur la soupe.

clap
clap

clap
clap

Je cherche la pianiste mais elle est déjà partie.

Je vais lui donner des becs à sa place assise.

clap
clap
X
clap

Je me sens conne.

Je fais un petit merci au public et vais me rasseoir.

Je me sens humiliée.

Il y a d'autres tounes après. Quand elles ont fini, les interprètes présentent d'un geste le compositeur.

clap
clap

Un geste de la main comme ça:

clap

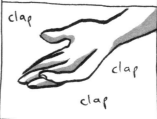

clap
clap

Celui que j'ai pas eu.

Cette faute protocolaire me bouleverse. Le reste du concert est chouette, mais je ne m'y sens pas à ma place.

Pendant l'entracte, j'ai un entretien avec Gilles Tremblay. Je ne me souviens plus si c'est lui ou moi qui a commencé la conversation.

Alain est parti fumer

y a beaucoup de bruit

Comment avez-vous trouvé l'interprétation?

(pile la bonne question...)

Honnêtement? Bof...

Je voulais pas bitcher la pianiste, je l'estime beaucoup, alors j'ai dit:

Vous savez... C'était pas une interprétation comme je la voulais, mais je laisse carte blanche à l'interprète.

Vous n'êtes pas satisfaite de l'interprétation?

Je laisse un espace créatif à mon interprète.

Mais tout est écrit!

Mais oui, tout est écrit, mais elle s'est plantée!

Tout est écrit mais je lui laisse de la place.

Et enfin...
Je sais que c'est probablement pas votre genre, mais...

Vous, qu'est-ce que vous en pensez, de ma toune ?

Ce qui se passe dans ma tête :
Il ne peut pas *aimer* ma toune. C'est pas assez contemporain, trop d'influences du passé. Mais voyons quand même ce qu'il dira, sait-on jamais.

Comme de fait :
C'est intéressant... il y a quelque chose... Des influences de [j'me rappelle plus qui] et [j'me rappelle plus qui]...

(je pense qu'il a dit Debussy)

C'est plein d'influences et je me demande *qui tu es, toi*.

Ben vous savez... j'ai pas assez écrit de musique pour vraiment transparaître dans ma musique... J'imagine que je suis pas rendue là... ça viendra...

Sur ces entrefaite, Alain Lalonde revient et la conversation reste sans dénouement.

Qui je suis, moi ?

(tu veux à boire ?)

non merci.

Ouah... quelle merde...

Alors je repense à Jimmy.

check ça!

Il trippe sur mes petits bonshommes.

Il a dit que j'étais une virtuose du «pacing» dans le point B.

(Quand je vais mal, je repense à ça et ça me fait plaisir.)

Quand on lit une B.D., on cherche pas à voir qui l'auteur est, lui. On se dit:

(ça me plaît.)

ou:

ça me plaît pas.

Mais pas:

Hé, toi, l'auteur, qui es-tu, toi ?

Est-ce que la musique demande plus d'engagement personnel que la B.D.?

Je ne crois pas.

À chaque numéro, je me demande en quoi il est personnel à l'auteur.

Le concert clôt avec des paroles enregistrées de Micheline Coulombe Saint-Marcoux.

Je reste sur ce goût amer pendant la 2e partie du concert.

Mais je ne comprends pas.

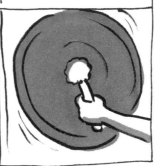

Ça dit: (je paraphrase de mémoire)

«Le compositeur a un rôle politique important.

Il se caractérise par sa révolte. Il ne peut y avoir derrière son acte créateur que le refus.»

Est-ce l'idée qui est dépassée, ou c'est moi qui suis dépassée ?

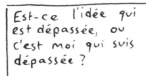

Je crois que je ne comprends pas la musique contemporaine.

Ou peut-être que je ne suis pas encore rendue là.

Alors où suis-je rendue?

En rentrant du concert, je fais une rencontre fortuite.

Sylvie-Anne ?

Frérot !

On jase sur le quai du métro Beaubien (bien qu'il habite là).

Je m'ennuie de lui.

Je lui raconte la soirée, et ce que je viens de vous dire.

Mon frère et moi, on est connectés. Quand je parle avec lui, j'ai l'impression qu'il me scanne et ne peut faire autrement que me donner mes propres vérités.

Je lui raconte ma comparaison musique versus B.D.

Peut-être que j'ai pas rapport en compo.

En musique, on veut ma personnalité, mais on ne la réclame pas en B.D. alors je me sens mieux en B.D.

Je ne suis pas d'accord avec ça.

Explique.

Si on réclame pas ton style personnel en B.D., j'ai l'impression que c'est parce que tu as déjà un style et qu'il est très fort.

Je ne te connais pas en compo, mais je sais qu'en dessin, tu as eu des influences que tu as assimilées et qui ont sculpté ton style personnel.

Du coup, je me souviens comment j'ai appris à dessiner: <u>en calquant Sailor Moon!</u>

C'est exactement ce que je fais en compo: je calque mes maîtres.

Et vu que j'ai commencé à dessiner avant de composer, j'ai gagné plus de maturité en dessin.

ça fait que:

en compo, je suis là

compo

B.D.

En B.D., je suis là

C'est sûr que j'ai encore des croûtes à manger...

Mais y a moins de chemin à faire qu'en compo.

BON, ALORS QU'EST-CE QUE JE FAIS ??

Est-ce que je bûche sur la compo pour la rendre égale à la B.D.?

Ou bien je lâche carrément la compo et me consacre à la B.D...

En tout cas, j'ai au moins la chance d'avoir ce questionnement au bon moment, vu que je termine un bac en compo...

Je remets ainsi ma maîtrise en compo en question...

Nous verrons dans un an.

5 mars 2006: pas agréable.

Allô ?... Allô maman... oui, j'étais couchée... non, c'est pas grave...

C'est la semaine de relâche, et là on est vendredi.

J'ai passé la semaine entière à faire de la B.D.

Après avoir raccroché, la première chose que je fais, c'est de colorier une planche à l'ordi.

Toute la semaine, je me couchais en me disant:

Cool, ma B.D. avance!...

Mais mon devoir d'harmonie... mon communiqué de presse... le piano... LA COMPO

Quand je me levais, je sentais comme une tension dans la mâchoire...

Miaou

...probablement parce que je serrais les dents pendant la nuit.

Je suis pas sortie de la maison sauf mardi, pour aller au cours de Jimmy (et chez Maxime après).

Et là, on est vendredi, et je me rends compte de tout le boulot que j'étais supposée faire...

eh merde...

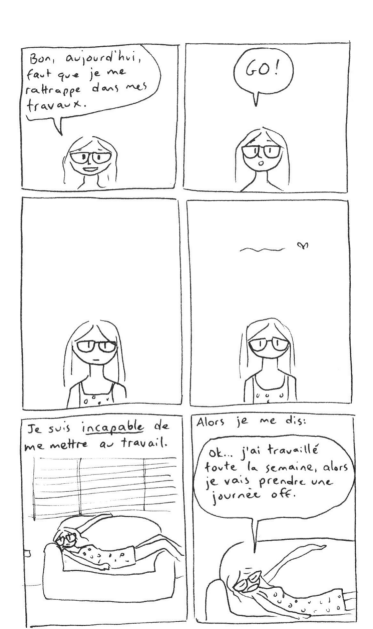

J'écoute la télé, mais je me sens bizarre...

Je vais sur internet, mais je me sens bizarre...

Je mange des oeufs-bacon et je me sens toujours bizarre.

La maison est grande et je ne la remplis pas à moi seule.

pis là...

DRRRRRRRING!

C'est Fred. Il a des emmerdes avec le prochain concert du CéCo.

On jase des problèmes et de comment les régler.

Du coup, des images me reviennent en tête (parce que j'ai eu à faire cette job-là l'an dernier)

Organiser les concerts du CéCo, c'est extrêmement demandant.

table ronde programme

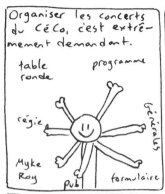

régie Générales

Myke Roy pub formulaire

Ça demande beaucoup d'investissement de soi.

concerts du CéCo

Et ça, les gens s'en rendent pas compte.

On se fait chier dessus pour les trucs qui marchent moins

ma pièce! mon temps de répète!

pas enregistré!?

comment ça t'as pas reçu?...

table-ronde moyenne

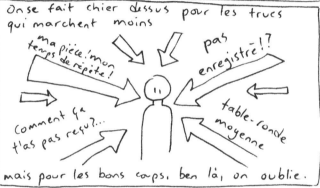

mais pour les bons coups, ben là, on oublie.

L'an dernier, au CéCo III, il fallait couper du monde parce qu'il y avait trop de soumissions... J'ai décidé de prioriser les dossiers complets à la date de tombée.

→ERREUR←

Je me souviendrai toujours d'un étudiant qui m'engueule comme une chienne dans le corridor devant la bibliothèque.

Je crois que c'est la principale cause de mon départ au sein du poste. Je ne voulais plus jamais avoir à revivre cela.

Il ne s'est probablement pas rendu compte du mal qu'il a fait.

Quand il est parti, je tremblais d'effroi.

Et en raccrochant d'avec Fred, je repense à cette scène d'horreur et je me remets à trembler d'effroi.

Allons... je veux me calmer...

Je m'assieds sur le divan

Qu'est-ce qui m'arrive?

Y a mon cœur qui bat plus vite...

et ma respiration super forte...

c'est quoi, ça?

inspire
expire

J'allume la télé

32

Mon doigt zappe super vite, je regarde même plus l'écran, que le chiffre qui change.

Ça me rappelle y a 5 ans quand je restais des soirées entières devant une page Web à faire « refresh ».

Reload   Stop

clic

Bon... qu'est-ce que j'ai, là?.. Est-ce que j'ai bien mangé?... Ben oui...

C'est quand même pas le téléphone de Fred... J'ai-tu trop travaillé cette semaine?

C'est-tu parce que j'ai pas fait d'exercice? (je vais à la piscine avec Maxime d'habitude)

ou bien...

J'ai une crise d'angoisse?

C'est
débile

C'est
comme
une
implosion

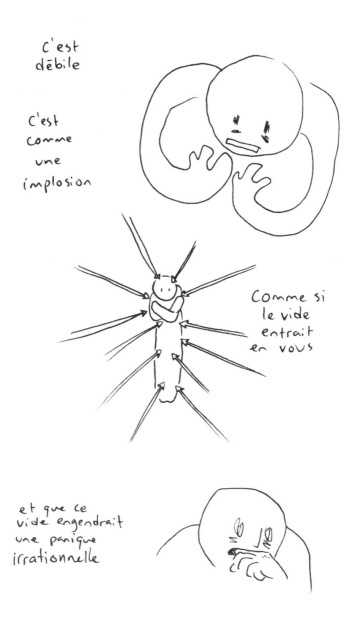

Comme si
le vide
entrait
en vous

et que ce
vide engendrait
une panique
irrationnelle

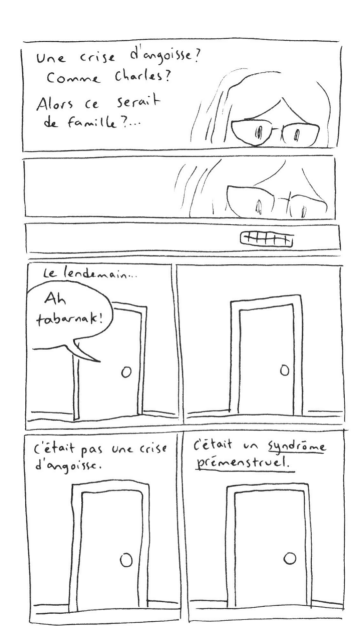

17 mars 2006 : j'y pensais...

Le matin, je mange des céréales.

Des céréales de marque...

COMPLEXE DE PETER PAN

Et puis je vais à l'école en écoutant de la musique.

De la musique...

COMPLEXE DE PETER PAN

ou bien je vais des fois à la banque.

La banque...

COMPLEXE DE PETER PAN

Je fais des études dans le programme de...

CHOIX DE COURS
COMPLEXE DE PETER PAN

Je vote pour le parti...

COMPLEXE DE
PETER PAN

La marque «Complexe de Peter Pan», c'est comme Quebecor; c'est partout sans que tu t'en rendes vraiment compte.

PETER PAN

PETER PAN

PETER PAN

PETER PAN

PETER PAN

PETER PAN

PETER PAN

PETER PAN

La différence, c'est que ça te permet d'entretenir l'idée que tout est possible.

Et tant que tu penses ça, ben...

tout est effectivement possible.

26 mars 2006 : entretien.

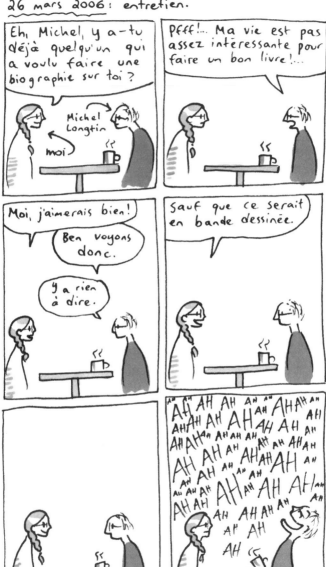

22 avril 2006: les chevaux.

On t'a trouvé un nouvel élève de piano pour l'an prochain.

Tu sais... je pense pas revenir... je vais habiter à Montréal, et faut que je me trouve un emploi qui me donne plus d'heures.

Y a déjà des demandes, et pour des cours de théorie musicale aussi...

Écoute, si c'était juste de moi, c'est sûr que je continuerais ici.

J'vais pas pouvoir payer un loyer avec seulement 3 élèves.

J'adore donner des cours...

Mais faut que je mange, quoi.

Faut que je me trouve de quoi à Montréal.

AH! Je peux pas croire qu'on peut pas survivre en faisant ce qu'on aime.

Des fois, y a des choses comme ça à quoi on doit renoncer...

et qui nous restent toute notre vie coincées dans la gorge.

J'ai eu à faire des choix à un moment donné.

Qu'est-ce qui t'est resté coincé dans la gorge ?

Les chevaux.

...puis elle m'a raconté son histoire.

Il y avait des brillants dans sa voix.

À la fois comme des étoiles et comme de l'eau qui perle au bord des yeux.

Aussi bien dire jamais.

2 mai 2006 : Des nouvelles !

Des nouvelles !

Des nouvelles !

→ OU... ←

POURQUOI ÇA VA BIEN

Ben premièrement, j'ai fini mon BAC HIER !

Et je l'ai bien fini...

YAMAHA

Avec de la musique !

Ma prof de piano était super contente de mon examen !

Tu as un jeu très intelligent !

Et pis Marc Durand a dit : (il portait des lunettes de soleil)

Tous les pianistes devraient faire des cours de composition !

Pis juste avant, j'avais fait un bon concert!

(Mais y a juste ma mère et mon frère qui sont venus parce que ça tombait en même temps qu'un gros concert du NEM)

roux

Et pis je déménage bientôt !!!

Dans un superbe 5½ avec mon amoureux!

← là →

(on a 2 balcons!!!)

On a tous les électros sauf le FRIGO

C'est ENFIN LE MOIS DE MAI !

Mon mois préféré!

44

Je vais être peintre lumineuse pour un récital de flûte...

Grâce à Éric Andrade

À ne pas manquer!

Jeudi 4 mai 20h

Salle Oscar Peterson

Campus Loyola

Université Concordia

7141 Sherbrooke Ouest

Ⓜ Vendôme

+ bus 105

J'ai fini une affiche pour un orchestre à vents...

Je suis contente et eux aussi!

L'argent de ce contrat paiera mon frigo!

Et peut-être d'autres trucs pour mon appartement...

C'est bientôt le lancement du Cactus!

fanzine de BD

Je suis dedans

11 et 12 mai prochains, au centre culturel Jacques-Ferron, Longueuil

C'est bientôt le lancement du Vestibulles!

fanzine de BD

Je suis dedans

18 mai prochain, au cégep du Vieux-Montréal, A-10.22

Je fais jouer une de mes tounes au prochain concert du CÉCo...

Maxime

Joëlle

À ne pas manquer! Mercredi 17 mai, 20h Faculté de musique B-484

...Mais inquiétez-vous pas, je vais vous le rappeler!...

J'ai réparé mon super sac...

(avec amour, à la main!)

...que j'avais jadis customisé et qui avait déchiré après 2 mois...

← coussin

strap

velcro

Ganses de sac à dos

J'ai été acceptée en dessin animé pour septembre!

lettre de refus 2000

lettre d'acceptation 2006

Dans ta face!

J'ai fait ma première musique de film (avec finale!!!) pour les bonshommes jaune — pis j'ai envoyé ça au concours de bourses de Télétoon...

le monde du cours de B.D. du vestibulles ont aimé ça

laptop

mais surtout...

J'AI GAGNÉ LE
PREMIER CONCOURS
QUÉBÉCOIS DE BANDE
DESSINÉE,

et ce à

L'UNANIMITÉ

Alors ma B.D. « Le point B »
sera publiée et le lancement
aura lieu à l'automne prochain !

Folle comme
d'la marde

ZVIANE :
BACHELIÈRE !!!

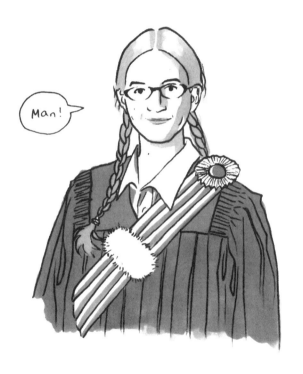

<u>11 mai 2006</u>: Feldman, mon amour.

Hier, je suis allée voir un concert à la chapelle historique du bon-pasteur.

C'était un concert de Brigitte Poulin — une pianiste qui se spécialise dans la musique du ~~XX~~e siècle.

Elle jouait du Debussy, de John Adams et de Morton Feldman.

Dans les parties rythmées, Brigitte Poulin bouge de façon assez unique.

super sec, saccadé

Ça m'a toujours fait penser (et à Madeleine aussi)...

...aux mouvements de tête secs d'un oiseau.

Les préludes de Debussy étaient super, le John Adams assez cool.

MAIS LE FELDMAN... OH LÀ LÀ...

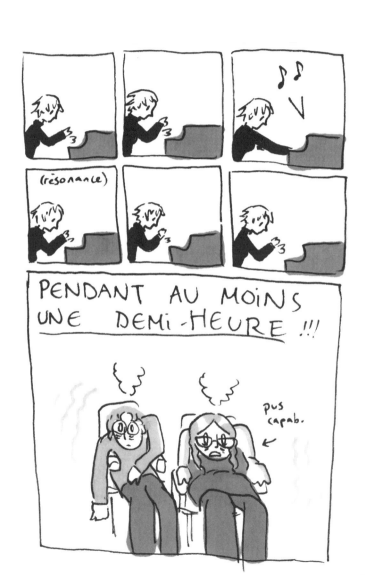

Ça, c'est exactement le genre de musique contemporaine que je déteste. C'est de l'excès SADIQUE.

... mais parmi plein de compositions, elle a choisi de jouer <u>ça</u>.

tandis que Brigitte Poulin continuait son supplice...

... y a quelqu'un qui lui a littéralement volé le show!

une araignée s'est placée dans le vif de l'éclairage et descendait du plafond

(vous savez, quand c'est le quasi silence et qu'on est pas supposés rire...)

et Brigitte Poulin continuait, imperturbable.

Seigneur! La bébitte va atterrir sur son épaule!

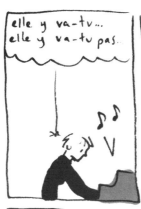

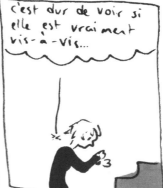

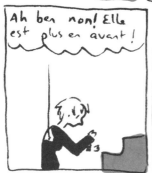

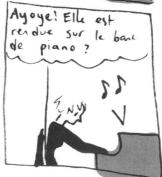

L'araignée a sauvé ma soirée !

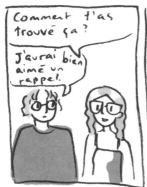

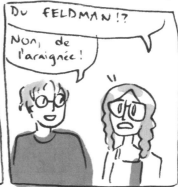

18 mai 2006: le grand ménage

C'est la première fois que je déménage pour de vrai.

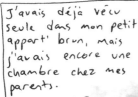

J'avais déjà vécu seule dans mon petit appart' brun, mais j'avais encore une chambre chez mes parents.

Brun
Brun
Brun
Brun
Brun
Brun

Mais là, c'est pour de vrai.

J'ai 23 ans et je suis une 'rande fille.

Ça, ça veut dire que je dois me débarrasser de plein de cossins.

Des jouets, du linge...

...des vieux agendas, des dessins d'enfant...

...des papiers de chocolat, des figurines, des cahiers de notes, et quoi encore...

SAILOR MOON

CV Dessert 58

Il a fallu que je me plonge dans mon garde-robe.

J'y avais pas mis les pieds depuis un bon bout de temps...

< Glup!

Présentement, je n'ai pas d'école et je ne travaille pas encore; j'ai décidé de profiter de cet interstice pour faire mon grand tri — et de prendre mon temps pour le faire.

En tout cas, j'ai rempli:

trois sacs de recyclage

deux sacs de cossins à donner

deux sacs pour les vidanges

... et c'est pas fini.

Ça me faisait drôle de jeter des trucs...

Dès que je les jette, je sais que je risque de les oublier.

Dès lors, je vivrai comme s'ils n'avaient jamais existé.

GOULAGS

De toute façon, j'ai déjà commencé à oublier.

?

C'est plutôt weird.

Allo Sylvie-Anne!

Annie

C'est qui, ça, Annie ?!

Mais la plupart de mes souvenirs sont intacts ;

ΔSSX
80ΔΣKm
∏ΔMΣΓ
ΔΣΔ8.

les lettres de Jasmine...

... mes journaux de bord de voyage...

(j'ai tout lu !)

... mes anciennes ambitions...

Je veux être une grande actrice !

... le voyage en Belgique en 6e année...

Choco

marsu

Dick Trimovit

... toutes les dents que je me suis fait arracher...

Beuh !

dents

... quand j'ai frenché Jordi pour la première fois...

AH AH!

hostie que j'avais bu !

... quand on a écrit Vendredi 13 avec Maryse...

!!!

... quand une de mes amies s'est jeté devant un métro...

58

Les souvenirs n'appartiennent qu'à nous. Je ne peux pas les faire vivre à quelqu'un d'autre — ce ne sont plus que des insides avec moi-même.

Les souvenirs, je les retrouve à chaque cinq ans, quand je retourne dans mon garde-robe;

mais entre-temps, je les oublie.

En quelque sorte, je vis comme si la plupart d'entre eux n'avaient jamais existé.

Ils m'ont construite, mais ils sont rendus obsolètes.

Je me dis aussi que si j'avais écrit tout ce qui m'est arrivé à chaque jour depuis ma naissance,

...ça me ferait un livre qui me prendrait un bon trois ans à lire...

...un trois ans de perdu à ne rien vivre d'autre.

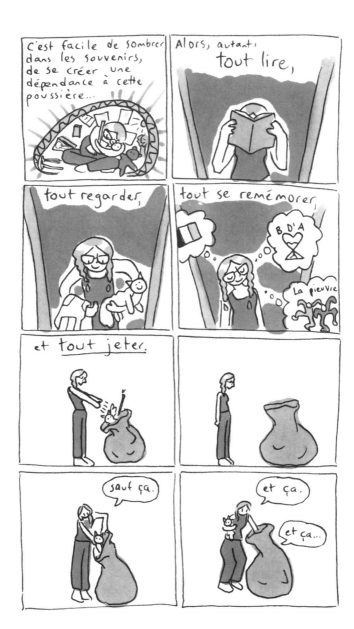

22 mai 2006: la fable des circonstances et du coup de pied

MERCREDI

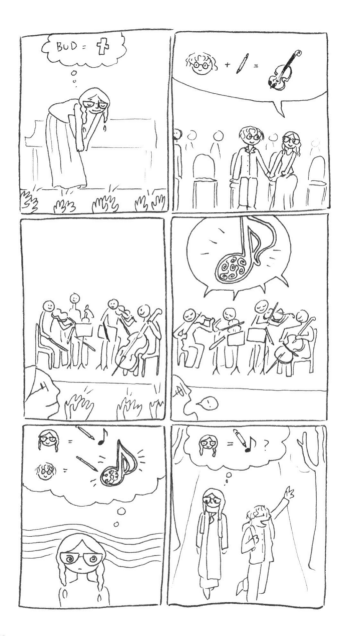

JEUDI

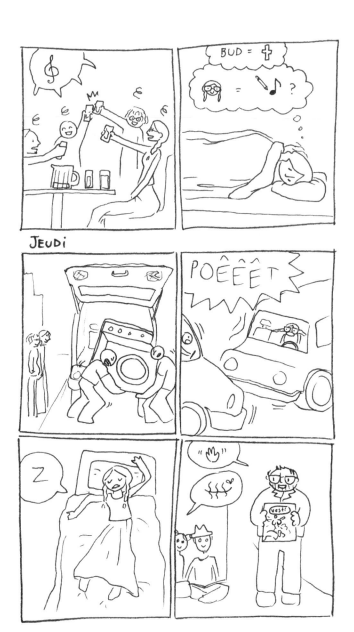

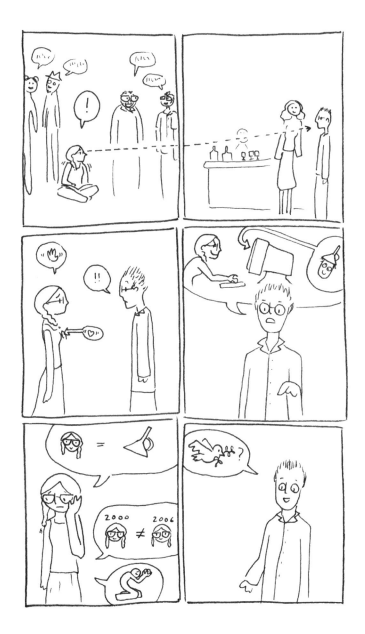

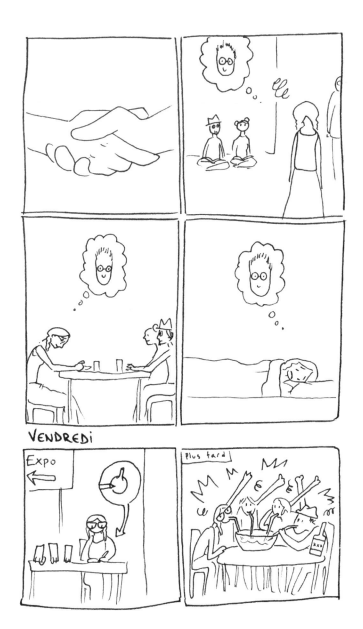

VENDREDI

Expo

Plus tard

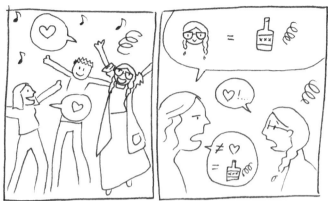

SAMEDI

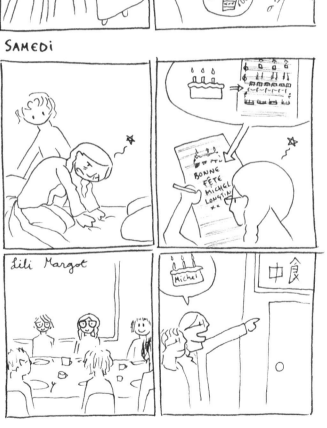

Lili Margot

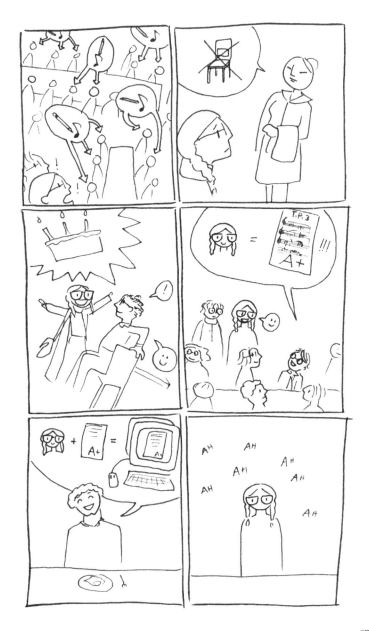

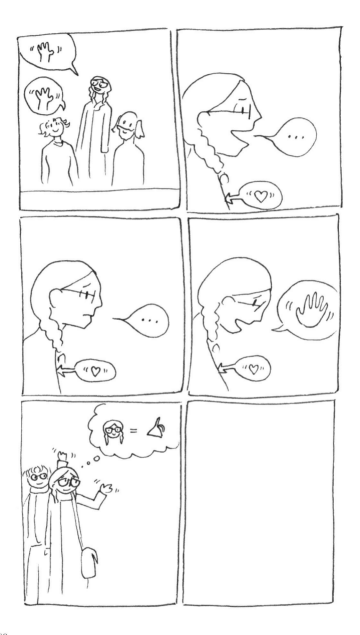

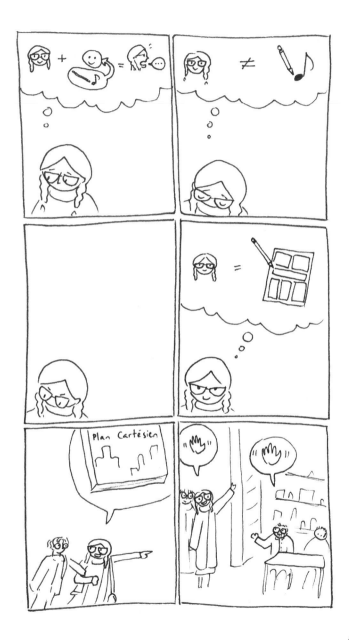

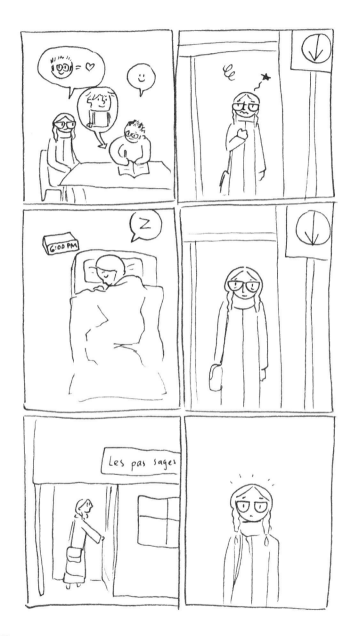

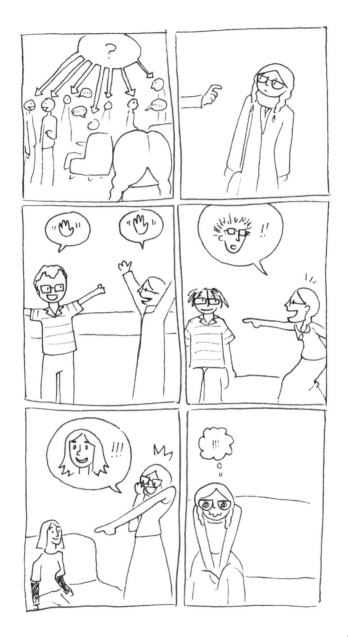

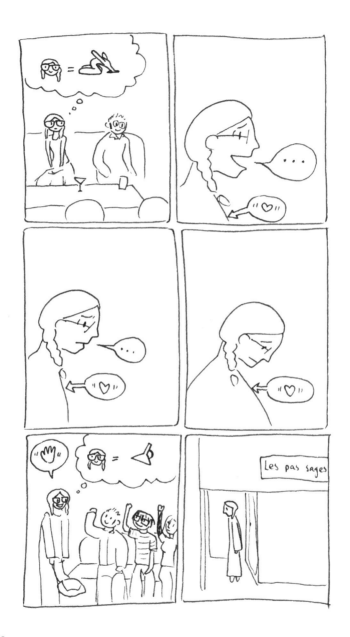

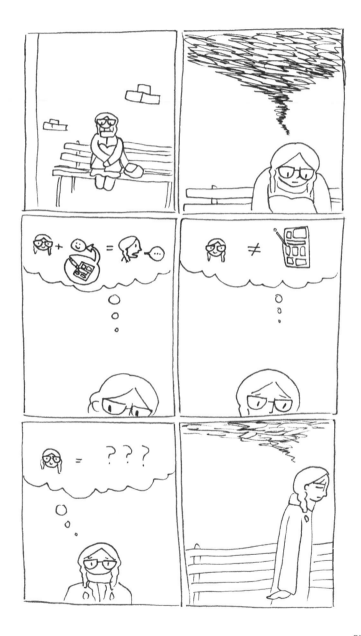

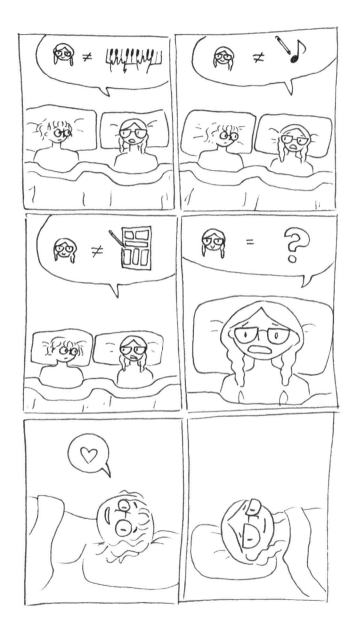

DIMANCHE

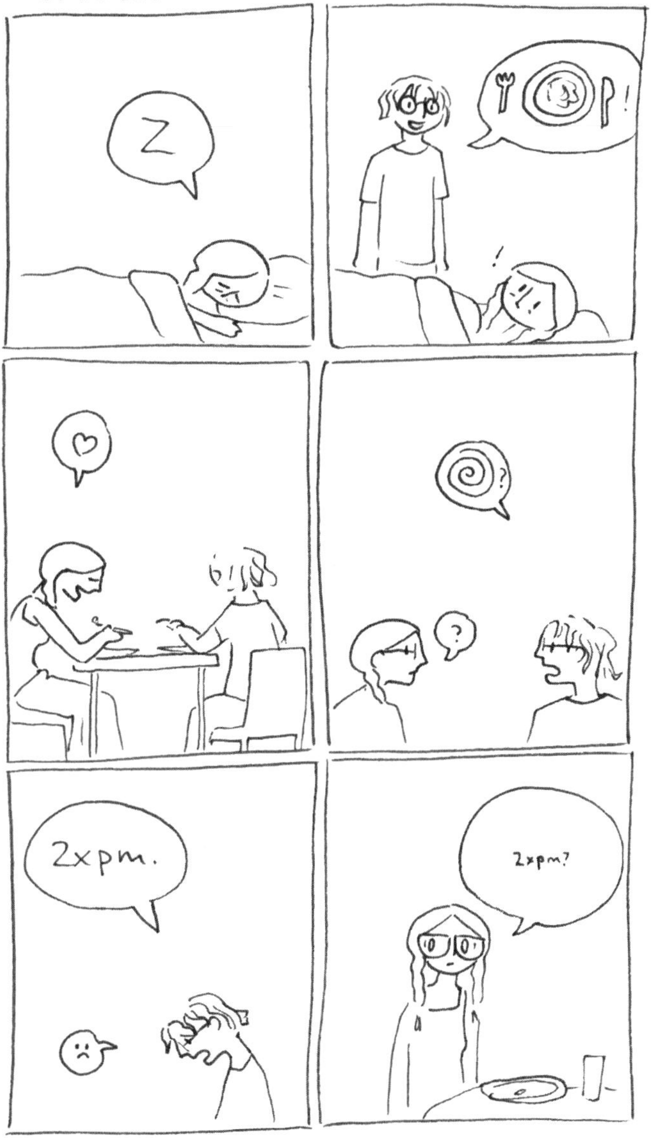

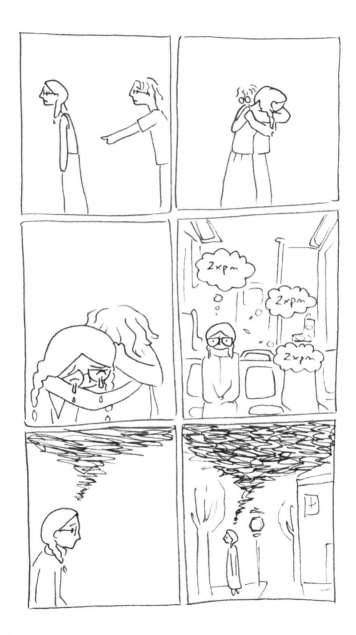

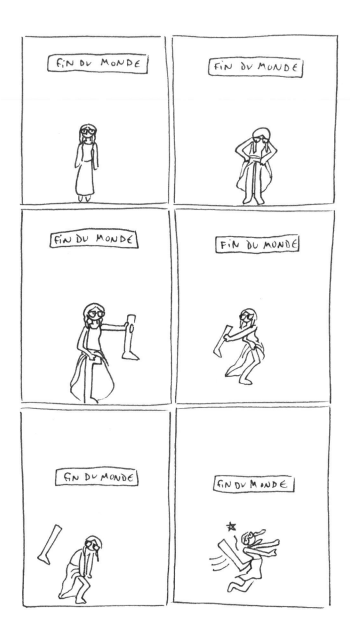

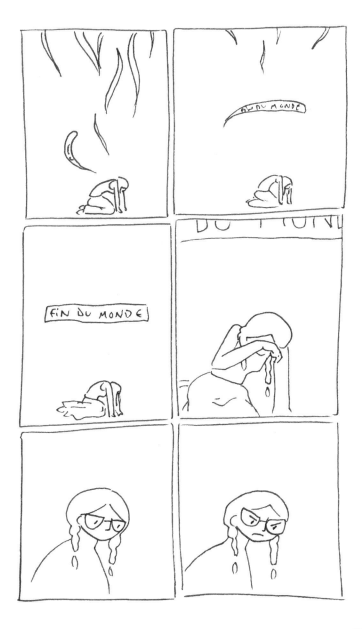

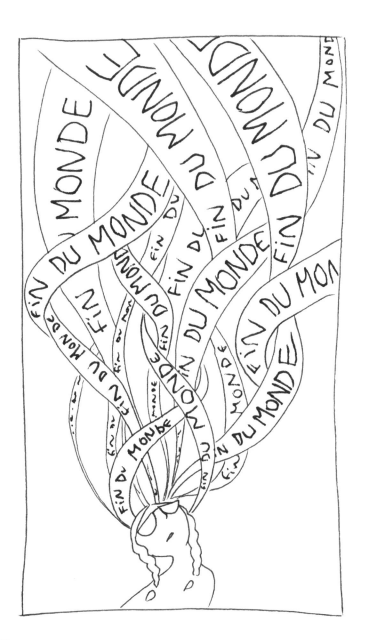

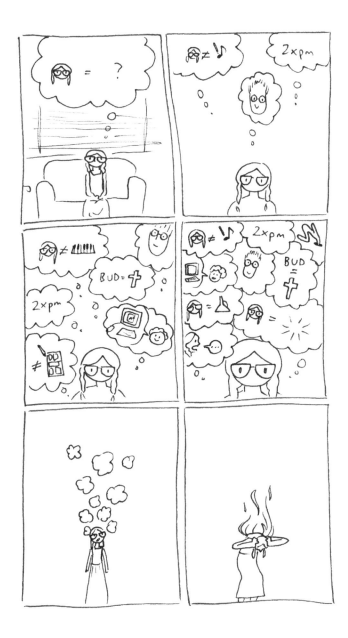

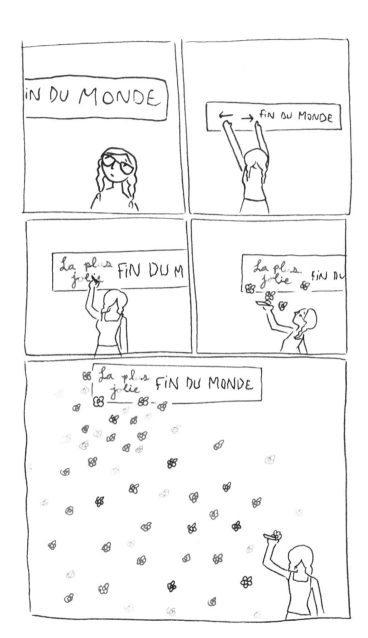

OK, OUI, J'AI PETÉ MA COCHE

Mais je vais mieux... En fait, avec les années et la pratique, j'en suis venue à une petite recette pour se sortir du trou.

Ici, ça s'appelle pas « la plus jolie fin du monde » pour rien ; ça pourrait même faire office de titre pour ma recette. Mais je préfère pas.

Tiens, je vous la donne. Peut-être qu'elle ne sera pas efficace pour vous, mais sait-on jamais !

PETITE RECETTE POUR SORTIR D'UN TROU

(sans pilule)

1. D'abord,
ÉCOUTEZ DE LA MUSIQUE JOYEUSE.

→ On a tendance à sous-estimer l'effet de la musique sur notre humeur. Commencer la recette avec ça aide à retourner la perspective des choses.

Pour moi, j'aime bien les sonates pour piano de Mozart, du Poulenc ou bien Dixie, de Harmonium.

2. Ensuite,
BOTTEZ-VOUS LE CUL.

→ C'est l'étape la plus cruciale. Ça s'exprime par un <u>refus</u>. Il faut se dire : « <u>NON ! J'ai le parfait contrôle sur l'interprétation que j'ai des choses ! Rien de ce qui m'arrive n'est insurmontable. Mon malheur est insignifiant. Être dans un tel état, c'est RIDICULE.</u> »

Ça, c'est le petit swing qui aide à remonter.

3. Maintenant,
o dansez/chantez/sautez
sur place/imitez une dinde

→ C'est l'assimilation du bottage de cul.

Cette étape-là va vous paraître bizarre, mais elle n'est que pure logique.

Vous avez tenté de vous convaincre, dans l'étape précédente, du ridicule de votre état, voire de son absurdité.

Il faut vraiment bien assimiler ce concept d'absurdité et d'insignifiance.

Si vous comprenez et saisissez que votre pétage de coche est ridicule, au point où vous en êtes, être malheureux ou imiter une dinde, c'est du pareil au même. (J'ai appris ça des autistes.)

Glouglou

J'aime bien sauter sur place en faisant l'oiseau ←

4. Finalement,
Allez voir des gens
→ ou ←
Créez quelque chose
→ ou ←
les deux

→ S'isoler est une mauvaise idée, car ça ne balaie pas les mauvaises pensées. Faut donc aller vers un autre — qu'on connaît et qui nous aime — et qui n'a rien à voir avec votre pétage de coche.

Vous pouvez aussi plancher sur un projet de création — facile, de préférence (de toute façon, vous aurez pas tout de suite la force de faire de quoi de complexe) — juste question de vous réaliser et d'être fier de vous.

Moi, j'ai vu mon frère

et j'ai fait la B.D. de mon blogue →

Voilà, vous êtes sorti du trou !

Deux ou trois petites choses :

— Ça marche pour moi, mais je ne garantis pas les résultats pour vous...

— La recette est toujours en construction. Il peut manquer des éléments ou de la précision.

— Vous pouvez vous créer (si le besoin est) votre propre recette — suffit d'analyser.

— Cette recette ne peut marcher que pour <u>vous-même</u>. Vous ne pouvez pas l'imposer à d'autres.

— Cette recette ne règle pas votre problème. Je suis toujours en crise d'identité ; seulement, je suis maintenant en mesure de l'affronter avec <u>lucidité</u>, parce que je suis sortie du trou.

30 mai 2006: du courrier!

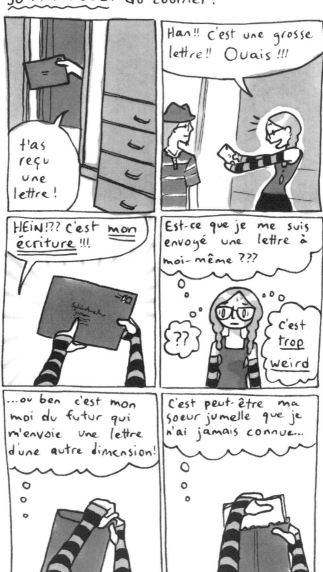

oh!

J'avais complètement oublié cette affaire-là!

«Dear Student
composer: bla
bla bla bla...»

Bien évidemment.

May, 2006

Dear Student Composer:

I am sorry to tell you that your score did not win a BMI Student Composer Award this year in the 54th Annual Competition. There were over 400 entries from throughout the Western Hemisphere and only ten winners were chosen. Please see the enclosed press release for details.

I encourage you to enter the competition again next year if you will be under the age of 26 as of December 31, 2006. Application materials will be available in early November at www.bmifoundation.org.

Best wishes for a creative summer.

Sincerely,

Ralph N. Jackson

Ralph N. Jackson

RNJ/acb
Enclosure

Ah ah ah !

t'es pas déçue ?

Dis-toi que j'allais gagner ce concours !

Le président d'honneur, c'était MILTON BABBITT !!

J'ai absolument aucun espoir de gagner un concours de composition.

Mes tounes sont pas assez « contemporaines » pour gagner quoi que ce soit.

feuilles recyclées pour imprimer au verso

Eille ! Et si ta toune était vraiment moins bonne que les gagnantes ?

Oh, c'est vrai — c'est un vieux réflexe. J'ai pas le droit de chialer tant que j'ai pas entendu les tounes gagnantes.

...mais je ne vous cacherai pas que je suis déçue 9 fois sur 10.

3 juin 2006 : Emergo I.

J'ai découvert un parallèle épatant entre le déménagement et l'autisme.

J'ai déménagé la semaine dernière.

woah!!

(clefs)

Pour gagner du temps, j'ai chargé ma van avec mes boîtes deux jours avant la date du déménagement...

<u>toute seule!</u>

Aaaaa...

J'ai jamais développé le réflexe de plier mes genoux quand je transporte des boîtes lourdes..

personne intelligente

lourd

Résultat:

fin de la journée

Quand ils font bobo, on se rend compte de tout le travail que se tapent les muscles du bas du dos.

Ach! Mein dos!

J'ai compris les petites vieilles quand je suis descendue de l'autobus.

Arg!

Mais si j'avais pas eu mal là, est-ce que je me serais rendue compte à quel point ces muscles me sont utiles?

Merci, chers muscles, de faire mon éducation!!

Ben c'est semblable pour l'autisme.

On se rend pas compte de tous les mécanismes de communication qui sont pour nous automatiques...

me passerais-tu le sel?

quin.

... jusqu'à ce que l'on vive avec des gens pour qui ces automatismes ne sont pas acquis.

C'est quoi ton nom?

...

C'est quoi, ça, Emergo ?

(ça fait que'ques pages que j'en parle et vous savez peut-être même pas c'est quoi)

En gros, on peut dire c'est un camp de vacances pour les personnes atteintes d'autisme ou de troubles envahissants du développement.

Mais plus précisément......

C'est un camp dont la principale vocation est de donner un répit aux parents — c'est pourquoi la plupart des campeurs habitent toujours chez leurs parents ou chez une famille d'accueil. C'est un organisme pour des parents et par des parents.

Il ne s'agit pas d'un camp seulement pour les enfants autistes. On reçoit tous les âges. Pendant l'été, il y a quatre séjours divisés selon

Emergo

ça c'est le logo

des tranches d'âge spécifiques : d'abord les adultes, ensuite les jeunes adultes, puis les ados et enfin les enfants. Ça dure 12 jours.

Alors nous autres, les moniteurs, on s'occupe de quatre campeurs durant chaque séjour de douze jours, au ratio un pour un. On les anime, on veille à leur hygiène, on les aide à faire des trucs, bref, on s'arrange pour qu'ils passent du bon temps.

euh, ça me ressemble donc ben pas

C'est pas toujours évident comme travail. On doit vivre en communauté 24h/24, on fait des journées de plus de douze heures, la clientèle est parfois difficile, c'est pas très cher payé... mais c'est extrêmement intense et valorisant.

Je pense au monde de mon âge qui ont une job d'été dans un entrepôt de souliers ou qui font du télémarketing et je me sens privilégiée.

Quand on a vécu Emergo, je crois qu'on ne perçoit plus les relations humaines avec la même perspective. C'est une expérience qui nous apporte bien plus que de vendre des bobettes chez Wal-Mart.

6 juin 2006: Emergo II.
Une journée à Emergo
(tous les noms sont fictifs, évidemment)

Allez, lève-toi, Josée! Lève-toi!

GO GO!

Non, Josée! C'est <u>mon</u> café!

iiiinnn!

T'as eu le tien tantôt!

Josée! Reviens ici! Viens mettre ton maillot de bain!

Allez, c'est fini la piscine!

iiiinn!

Ça suffit, Josée!

Calme-toi!

AAAAAA

Seigneur, Josée! Joue pas dans ton caca!

iiiiinnn!

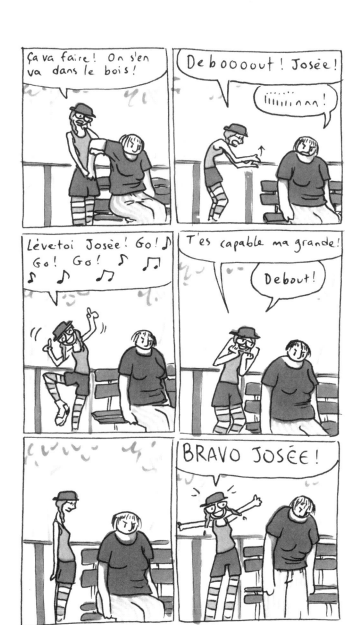

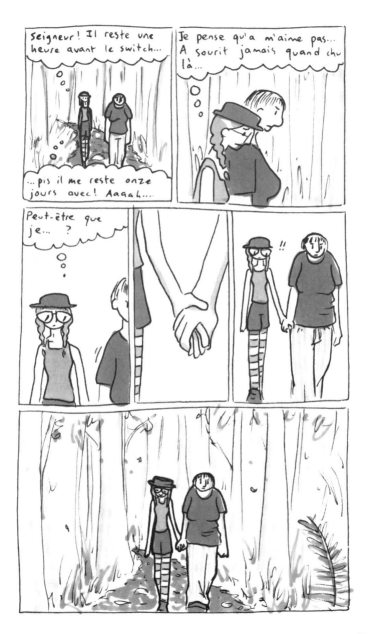

Retour à la maison...

Je suis épuisée...

...et j'ai du cutex rouge!!!

(Une de mes campeuses trippait sur le vernis à ongles et elle en mettait à tout le monde)

<u>Conséquence</u>:
Quand je regarde mes mains, j'ai un choc.

13 juillet 2006 : la honte du mois.

Quand je prends le métro, je regarde autour de moi.

J'en reviens jamais, y a au moins 75% des femmes qui ont les cheveux teints.

auburn avec repousse

faux roux

mèches

Mauve

Pis je me dis :

Peuh! Moi je me teindrai jamais les cheveux! chui MARGINALE!

brille ↗

MAIS

C'est mon fantasme d'enfance d'avoir les cheveux NOIRS... seulement, je peux pas supporter de pas avoir une couleur naturelle. Il aurait fallu que je naisse avec les cheveux noirs, mais bon, trop tard, je suis déjà née...

99

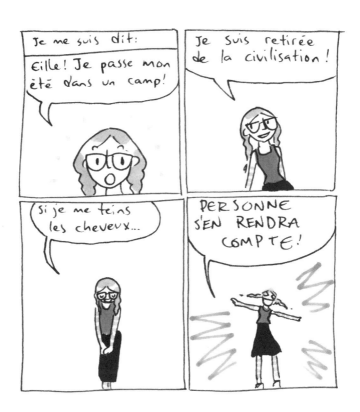

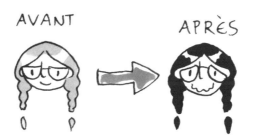

J'ai full honte mais je suis super contente!...

13 juillet: je suis de retour..

J'allais vous parler d'un incident qui
s'est produit le jour 11 au soir mais
finalement, je n'en ferai rien. Disons que
cet incident m'a fait de la
peine et qu'il a un peu gâché la fin de
mon séjour.

Je me demandais si j'allais rester
l'été complet à Emergo ou si j'allais
juste faire 3 séjours sur 4. J'ai eu
ma réponse à ce moment-là : je ferai
pas le 4e séjour. Je suis pas faite pour
la vie en communauté. Je suis pas faite
pour me confronter au dialogue. Je
préfère rester dans mon coin à faire
des petites bandes dessinées.

En revenant, il y avait la B.D. d'Iris
«Justine» dans ma boîte à malle,
   ça m'a redonné mon sourire...

<u>27 juillet 2006</u>: retour prématuré.

Ben oui. J'ai même pas toffé.
J'ai appelé Madeleine pour qu'elle vienne me
remplacer pour les 3 derniers jours.

→ Jour 7 ←

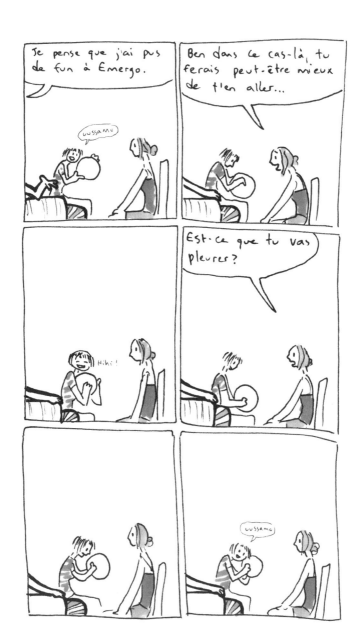

103

1er août 2006: agape.

Il y a de ces choses qui n'arrivent qu'une fois dans une vie.

...ou bien, si elles arrivent plus d'une fois, on peut se considérer comme des maudits mardeux.

Le souper d'hier soir, ça fait sûrement partie de ces choses-là...

Mon copain, il part en France samedi prochain voir de la famille avec sa mère et ses soeurs.

tour eiffel →

Son père a donc décidé de nous inviter au resto avant leur départ.

...tout d'un coup que votre avion crashe!

Mais on n'est pas allés n'importe où...

on va-tu là pour de vrai??

À quelques maisons de chez moi, en fait.

LE BOUCHON DE LIÈGE

Quoi!? Vous connaissez pas Le bouchon de Liège ??

C'est la mort!

C'est le genre de place qui bascule tous vos points de repère en matière de bonne bouffe...

On a pris un menu-dégustation à cinq services...

... avec, chaque fois, le vin qui allait avec le plat, attention!!!

(Bah, moi, j'y connais strictement rien en vin, j'ai peut-être pas pu l'apprécier à sa juste valeur...)

(Mais le trip était là!!)

Première assiette: boudin noir avec gratin de fromage de chèvre et huile d'herbes (avec une petite fricassée de légumes hachés)...

un véritable dolmen de bouffe!

Je dis ça de mémoire, le vrai nom est plus fancy...

Je crois qu'il y avait jamais aucun de nous qui avait mangé du boudin — parce qu'on sait tous c'est quoi...

(du sang et de la graisse de porc).

Mais...

Eille, même Virginie a aimé ça!

Ensuite: foie gras grillé sur melon jaune grillé avec des petits morceaux de légumes.

Juste de dessiner ça, j'en ai la bave aux lèvres!

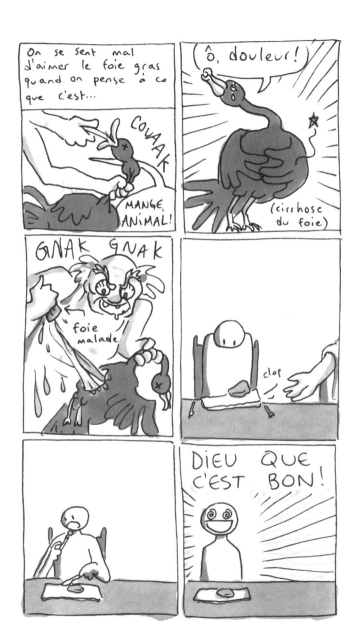

107

Et puis y avait toujours le petit vin qui venait avec !

Après nous avoir tous servis, il restait du vin dans la bouteille.

Je me demandais bien où allaient ces restes de vin...

On enchaîne avec un... filet de poisson ? Je me rappelle plus trop lequel — avec de l'orge à la fleur d'ail !

MAMMA MIA !

Un poisson qui se défait à la fourchette...

...et pis qui fond en bouche comme un pop sicle !

en transe →

Ensuite: pain aux carottes avec fromage (lequel? M'en rappelle plus...) et mini salade de carottes.

La présentation est tellement belle qu'on n'ose pas trop manger le plat!...

C'est un peu plus léger, parce qu'on approche du dessert.

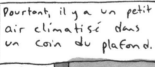

Seigneur! Quel orgasme culinaire!

On a super chaud. On mange et on sue comme lucky luke dans Daisy town!

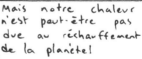

bla bla bla bla

Pourtant, il y a un petit air climatisé dans un coin du plafond.

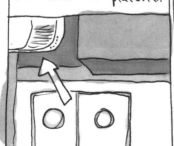

Mais notre chaleur n'est peut-être pas due au réchauffement de la planète!

Bla bla bla bla

Au dessert, on a eu droit à du porto.

PORTO = CHOCOLAT

tilt!

(Je suis nulle en vin, mais j'ai au moins cette connaissance de base)

Comme de fait: gâteau mousse au chocolat et tequila avec une espèce d'hostie de fromage (bizarre, ça) et coulis de chocolat.

(plus le porto, là!)

les noms des plats étaient vraiment plus beaux que ça!

... de quoi tous nous ACHEVER!

BOUCHON DE LIÈGE: 1   ZVIANE: K.O.

Et vous savez le pire dans tout ça? Je n'ai même pas payé mon festin!

C'est une chance, parce que même un seul de ces services aurait été trop cher pour mes maigres moyens d'étudiante!!!

Sacramouille!

Je dois donc ce divin repas à mon magnanime beau-père, Robert Goulet!

Merci infiniment... Je pourrai raconter cette soirée à mes petits-enfants...

Pis là, il a deviné que ça allait être du foie gras, parce que le vin était sucré!...

5 août 2006: deux semaines.

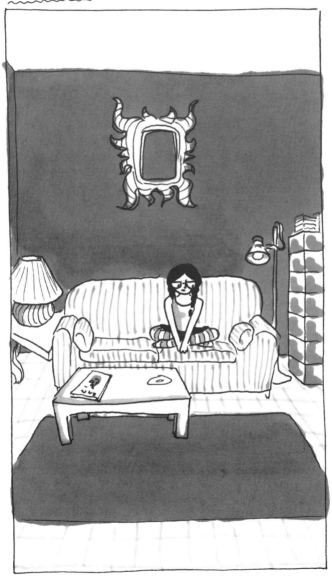

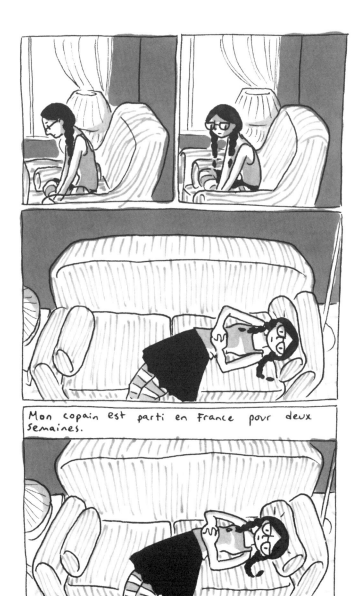

Mon copain est parti en France pour deux semaines.

Ça fait à peine quelques heures...

...et j'ai rien à faire.

Oh, c'est pas tout à fait vrai — j'ai une toune à écrire pour Laurent...

Faut aussi que je me trouve une job.

Y a les cadres à poser dans le corridor.

Mouin.

BEUH

Des fois,
on aurait
besoin d'une
cheerleader.

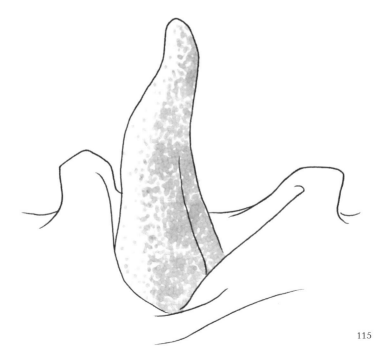

6 août 2006: Robert Léonard.

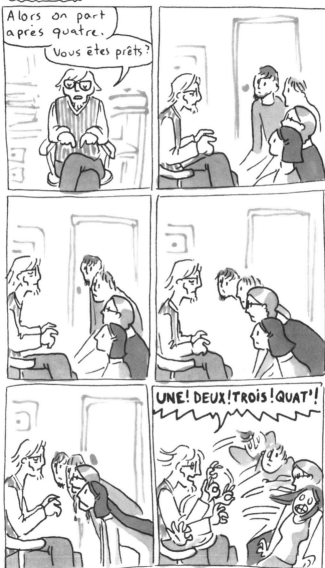

Robert Léonard, c'était mon prof de « jeux sonores ». Il avait de superbes cheveux blancs longs.

Il était à la retraite, il était malade, mais il voulait enseigner pareil.

J'ai vu sur une mosaïque qu'il avait déjà été doyen de la faculté de musique de l'Université de Montréal.

Hein! Regarde! C'est Robert Léonard!

Ben oui!

Quand il avait été re-hospitalisé, on avait écrit un jeu sonore juste pour lui, en son honneur, qu'on avait enregistré.

UNE! DEUX! TROIS! QUAT'!

Ça fait un peu plus d'un an de ça.

Il est mort le 29 juillet dernier.

7 août 2006 : la solution !

Je suis en train de composer de la musique.

Ben oui, j'suis allée nager aujourd'hui.

En fait, pour éviter le trouble d'il y a 2 jours, je me suis fait un
→ HORAIRE. ←

Je me lève vers 9h-9h30.

zâaille

Je mange un <u>oeuf</u>, avec une <u>toast</u> et un <u>verre de lait</u>

(et parfois une <u>pomme</u>).

Après, je me fais un lunch et je pars au cepsum.

lunch → costume de bain ←

À la piscine, je fais 12 longueurs.

comme un chat : #p!

en ré DTT

Pendant ce temps, je compose de la musique dans ma tête.

Ensuite, je monte la côte et je m'en vais à la faculté de musique.

J'y mange mon lunch.

Après, j'écris la musique que j'ai inventé dans la piscine.

Je ne quitte pas avant 15h15.

Je reviens chez nous, je retranscris tout à l'ordinateur.

ctrl + S

Je sauvegarde souvent.

Pis c'est l'heure de manger, alors je me prépare de quoi.

Le souper fini, je fais un truc dans ma liste de cossins à faire.

À soir, c'était mon lavage.

Et après, ben je suis libre. Je peux lire des BD, lire un roman, gosser sur Inter et, répondre à des courriels...

ou bien donc faire une B.D. pour mon blogue.

Depuis que j'ai déménagé, j'ai pas allumé ma télé et je veux toujours pas l'allumer.

allume-moi

C'est con, parce que j'ai aucune raison pis ça me tente en maudit.

Aujourd'hui, j'ai écrit une page de musique (27 mesures).

Je suis super fière!

↖ oups

J'ai autant de satisfaction à voir une page de musique finie qu'une page de B.D.

Euh... non! Mille fois plus de satisfaction! La musique, c'est 1000 fois plus dur que la B.D. (en tout cas pour moi).

...et puis graphiquement, je trouve qu'une page de musique manuscrite a autant de charme qu'un dessin.

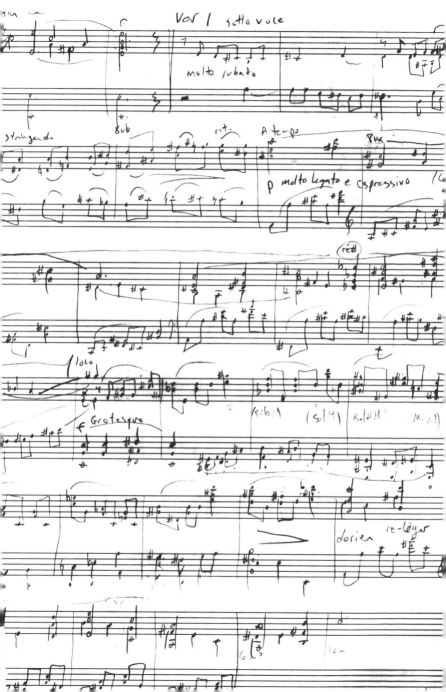

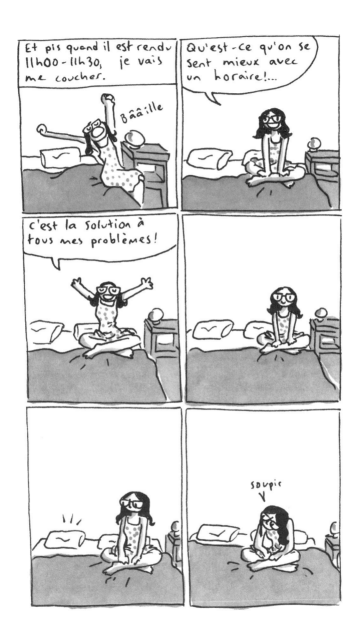

122

9 août 2006 : coup de fil

Panel 1: Misère...

Panel 2: La toune avance à pas de tortue... pis ya personne chez qui j'ai envoyé des c.v. qui me répond...

Panel 3: Bordel... je fais de la B.D. à la place de me trouver une job!

Panel 4: DRRRRRING!

Panel 5:
Allo?

Allo! C'est Luc! Eille, j'ai un truc pour toi.

Panel 6:
Écoute! Radio-Canada m'a refilé une job, mais j'ai pas le temps de la faire, je suis dans le jus... T'aurais-tu le temps de la faire?

Radio-Canada?!

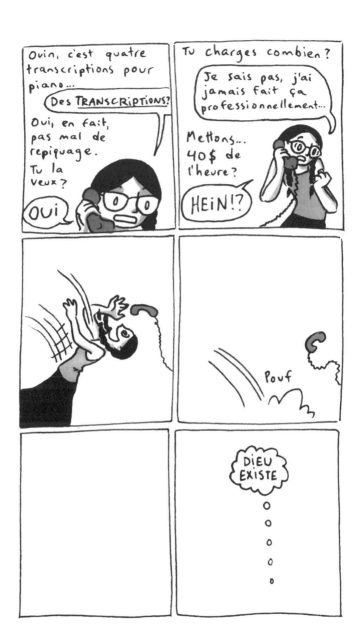

～explication～

Dans la vie, y a pas beaucoup de choses en lesquelles je suis vraiment **bonne**.

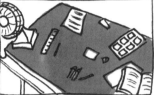

Je veux dire... oui, je fais de la B.D., des compos, mais y a un million de gens bien meilleurs que moi.

Mais y a un truc pour lequel je donne pas ma place:

HOT

LE REPIQUAGE!

Le repiquage, c'est quand on recopie sur papier une toune qu'on entend.

C'est aussi un truc de couture, mais c'est vraiment pas là-dedans que j'excelle...

Quand j'étais petite, un de mes gros funs était d'essayer de jouer des tounes des Beatles à l'oreille.

Lady Madona!

Veut veut pas, ça a pas mal développé mon oreille.

Mais j'ai pas l'oreille absolue !!!

... et pis ça a été encore mieux quand j'ai enfin pu mettre un nom sur tout ce que j'entendais...

N6, V de V sixte allemande, I⁶₄ double appogiature de V, V, I tierce de picardie !

Ce don particulier en dictée musicale m'a permi de skipper mon cours de solfège à l'université.

YÉ!

← Jaloux

C'est sûrement pas pour mes aptitudes en solfège !

non, attends:

c'pas ça!
Euh...

Je sui PAS BONNE!
(pis je chante mal!)

Je me souviens, à l'audition, à l'université, devant Luce Beaudet...

Stress

Elle me reprenait tout le temps, j'ai failli me pisser dessus...

J'étais sûre de pas avoir réussi à me faire exempter...

Votre solfège est loin d'être aussi bon que votre dictée, mademoiselle.

J'avais passé les auditions au conservatoire, aussi. Mais il y avait pas de test de dictée! C'était juste de solfège!

Sylvie-Anne!

fuck... mon tour...

J'avais été classée super poche - tandis que l'UdM m'avait exemptée! Sacramouille!

Oui, bon, retour à l'histoire principale!

Suffit là!

Faire des transcriptions pour piano de quatre tounes de 15 secondes chacune...

À repiquer...

À 40$ de l'heure!

♪ ♪ ♪

Bon, faut quand même que je me trouve une job, mais ça presse moins.

Ayoye... Je crois que c'est la première fois que j'ai autant de fun tout en étant payée!...

<u>11 août 2006</u> : tourner en rond

Je suis sans emploi, sans école, sans compagnie et sans motivation.

J'ai jadis caressé le désir de vivre sur le B.S. et de me faire vivre par l'État.

Je sais maintenant que c'est pas une vie.

Je tourne en rond...

Je déteste l'été.

Depuis un bout, y a pas d'autre personnage que toi-même dans tes B.D.

Ouais, ben faut forcément être un peu narcissique pour faire des B.D. sur soi-même.

Avant, tu en faisais sur les fruits, ou sur Monsieur Renaud! Pas sûr à quel point t'es —donc ben bonne en repiquage!

Oui, mais j'avais envie de raconter... Si je dis pas que je suis bonne dans quelque chose, personne ne le dira...

Pourquoi tu fais des B.D. sur toi? Hein?

Ben ché pas... J'ai l'impression que si je fais pas ça, y a jamais personne qui va s'intéresser à moi...

129

Je vais te l'dire
pourquoi tu fais
des B.D. sur toi...
Tu veux qu'on
te regarde !

T'es une petite fille
qui refuse de
grandir, qui veut
rester dans son
petit monde rose
et qui veut être
le centre d'attention.

Tu fais des B.D. sur
toi toute seule
dans ton bureau
parce que t'as
pas les couilles
d'affronter les
gens dans la
vraie vie !

...

Le pire dans tout
ça, c'est que
tu fais tout dire
ça à un stupide
lapin — parce que je
te rappelle que c'est
TOI qui me fais
parler en ce moment-
dans l'unique but
d'avoir des commen-
taires de gens
touchés par ton
petit down égo-
centrique. Lamentable !

IL RESTE 9 DODOS
AVANT QUE MAXiME
REVIENNE.

12 août 2006 : la recette, vous en souvient-il?

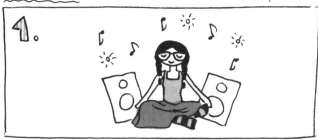

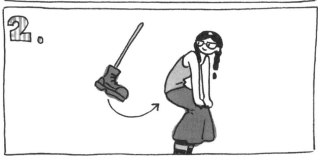

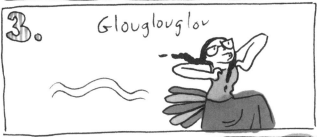

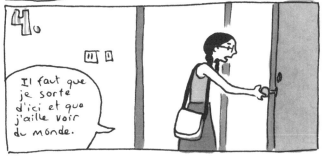

13 août 2006: expulser le mal.

Je me suis saoulée la gueule jusqu'à la mort.

Je crois que j'ai compris quelque chose aux ivrognes.

Vous savez, quand vous pétez une coche, dans le fond, vous rendez physique votre mal psychologique.

AAAAA

Votre mal, il est d'abord abstrait, il est invisible. Il semble ne pas avoir de sens.

Ce mal veut se réaliser, devenir une chose concrète.

Le fait de prendre ce cendrier et de le lancer à bout de bras personnifie le mal, jusqu'alors abstrait.

133

Le mal a maintenant une apparence, il a un sens : celui du cendrier qui va se fracasser sur le mur.

Mais cette incarnation peut prendre d'autres aspects — comme la violence envers soi-même...

... sous toutes ses formes.

Me voilà au-dessus de la cuvette à dégueuler comme une conne.

Laissez-moi faire... je concrétise mon mal, je l'incarne... puis je l'expulse.

23 août 2006 : en faisant la cuisine.

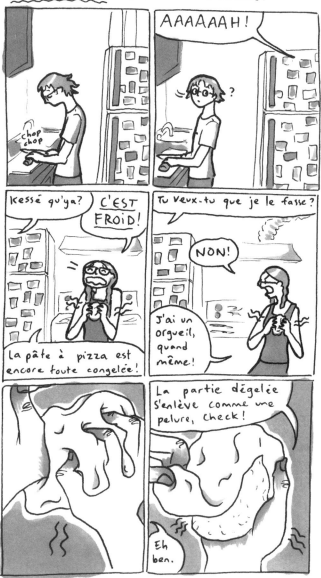

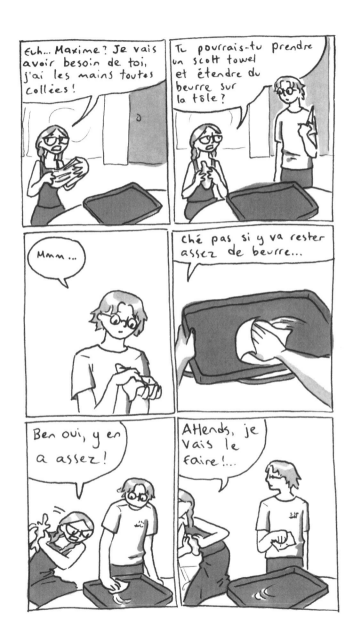

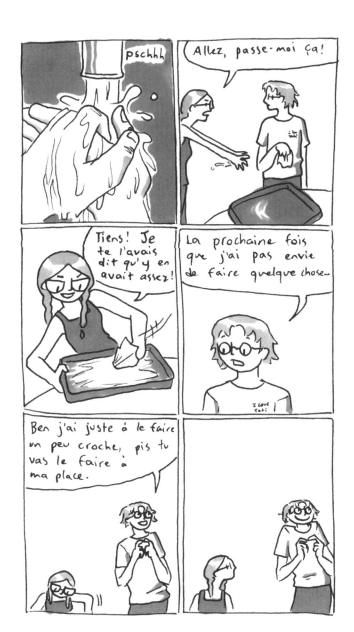

29 août 2006: scènes de ma pendaison de crémaillère.

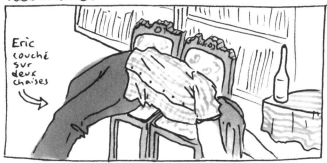

Eric couché sur deux chaises →

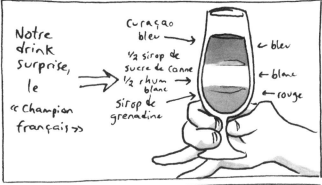

Notre drink surprise, le « Champion français » →

Curaçao bleu → ← bleu

½ sirop de sucre de canne
½ rhum blanc → ← blanc

sirop de grenadine → ← rouge

L'intérieur du rectum →

c'est comme l'intérieur de mon rectum, c'est comme l'intérieur...

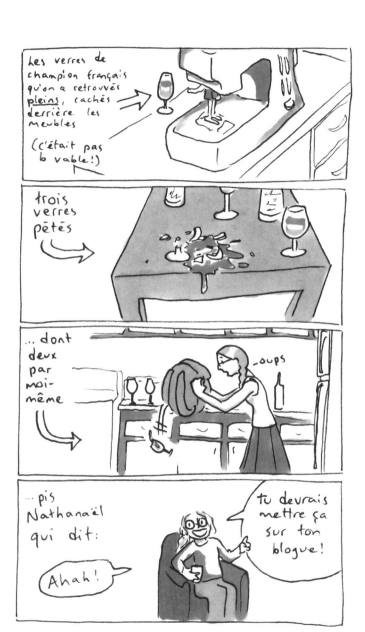

Le cocus de l'amitié devant ma sécheuse

← Sécheuse

Caro qui arrive à minuit et demi en disant:

On joue à contact!

Et nous autres qui jouons à contact jusqu'à 4h30 du matin...

R.

Euh... une couleur.

Rouge.

Ah. Va chier.

31 août 2006 : le retour au Cégep.

J'avais oublié comment on se sentait quand on rentrait en première année de cégep.

Surtout quand on connaît personne.

À la faculté de musique, à 9h le matin, on voit de petits groupes de 5 ou 7 personnes qui montent la côte.

Au cégep...

À la faculté, je faisais un peu marginale avec mes rayures.

Au cégep...

Je passe carrément inaperçue.

À huit heures moins cinq, on est tous près de la porte, mais on se parle pas parce qu'on se connaît pas.

On est des nouveaux.

Les 2e et 3e années nous regardent avec un air condescendant.

Dans chaque cours, on nous demande « d'où venez-vous ? »...

Venez-vous du secondaire ? Avez-vous un autre DEC ? Avez-vous travaillé ?

D) Aucune de ces réponses

Cette semaine, les seules fois que j'ai ouvert la bouche, c'est pour dire :

J'ai un BAC en musique...

Bon dieu, ça fait 6 fois que je dis ça.

Dites-le pas, mais... j'ai un malin plaisir à voir la réaction des gens quand je leur dis que j'ai un BAC.

2 septembre 2006: le retour au Cégep II.

AAAAAAH !

Vous savez, je me suis beaucoup demandé si c'était une bonne idée de retourner au cégep.

Cégep du vieux = GRÈVE

inscription →

J'avais peur de pas me sentir à ma place... je sais pas...

...ou bien de regretter de pas être en musique... de m'ennuyer, quoi...

J'ai pas eu de «vrais» cours encore, mais... je pense que...

JE SUIS À LA BONNE PLACE!

En fait, je suis allée en dessin animé pour apprendre à dessiner comme du monde.

Ma «formation» d'auto-didacte ne me suffisait plus.

C'est mon cours de perspective qui m'a convaincue de mon BON MOVE.

Sortez 5 feuilles blanches.

Vous savez pas ce que le prof nous a fait faire !??!!

!!

DES LIGNES !!!

Sans règle, le plus droit possible.

Man!! C'est DUR!

celle-là est moins large que les autres

celle-là est trop pâle

↙

↖ celle-là est un peu courbe

C'est super excitant, c'est comme faire des gammes au piano!

...sauf qu'on devient meilleur vraiment plus vite!

Après seulement une page, je me sentais déjà plus habile!

HEIN!

Je trippe!

Tout ça dans le but d'acquérir une certaine confiance dans le trait.

Ce qui m'a amené à la réflexion suivante:

Si j'étais à la maison et que j'avais voulu améliorer mon dessin, est-ce que je me serais dit:

Je vais remplir des pages avec juste des lignes!

MAIS NON!

Pourtant... c'est quand même quelque chose de niaiseux, des lignes!

Je vais devenir la championne des lignes!

yeah!

Voilà... Enfin, je vais acquérir de bonnes bases...

Et si je tiens le coup, je vais devenir meilleure et je sacrerai plus en dessinant! ROCK ON!

9 septembre 2006 : ma djobbe.

J'ai commencé à travailler cette semaine.

J'enseigne le piano à Varennes.

Dix mille sacs →

Varennes, c'est LOIN.

Mais ça vaut le coup, j'ai jamais eu autant d'élèves!

À peine 15 minutes pour souper

Mes élèves ont presque toutes entre 8 et 10 ans...

Alors, on compte les lignes et les espaces et on peut savoir c'est quelle note sur la portée.

Alors celle-là, c'est quelle note?

...et je m'y fais pas; j'en reviens pas à quel point elles comprennent VITE!

Ben... C'est un...

un Mi!

WOW! T'es donc ben bonne!

J'aime beaucoup enseigner le piano aux enfants.

AH! J'AI VU UN CROUNCHÉ! Mets tes lunettes d'espion!!!

Hihihi!

Ils ne cherchent pas à te montrer qu'ils connaissent plein de choses, ils n'ont pas peur des erreurs...

Allez, pratique ça pour la semaine prochaine.

Et puis, ils sont passionnés, ils s'amusent avec n'importe quoi.

Est-ce que le cours est fini, là ?

Ben oui...

Quoi, est-ce que t'aurais aimé que le cours dure plus longtemps?

Oui.

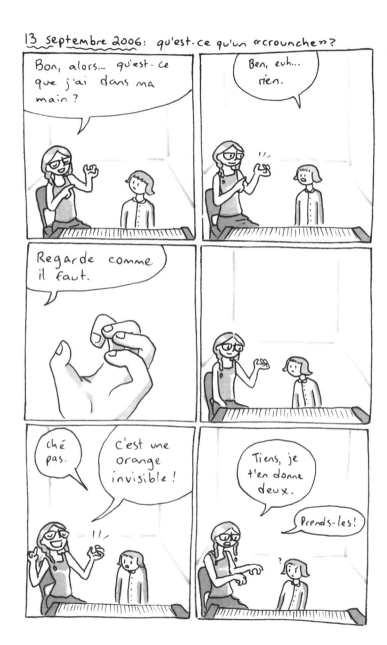

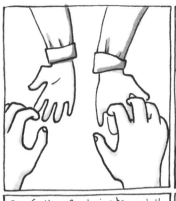

Ça peut être des balles, des pommes, des boules de pétanque, mais j'aime bien les oranges.

En fait, faut juste qu'elle comprenne la forme idéale de la main quand on joue du piano.

Il faut des mains rondes, parce que c'est ainsi qu'on a le plus de contrôle sur les touches.

Un doigt en crochet comme ça peut contrôler un son super super doux ou super super fort...

...et on doit jouer sur le bout bout bout bout bout du doigt, sur notre petit coussinet.

LÀ

Pas là ← ← → → Pas là

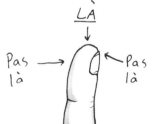

Je défie quiconque de jouer très fort avec les doigts aplatis sur le clavier...

Ça risque de ressembler à ça:

Joueur inexpérimenté →

GN!

Aussi, on aura beau jouer sur le bout des doigts, la première phalangette peut revirer de bord.

(ça m'écoeure tellement que j'ai de la misère à le dessiner)

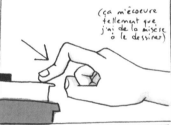

C'EST ÇA UN CROUNCHE

Pourquoi j'appelle ça un crounche?

Parce que quand tu joues très très fort et que ton doigt arrive de même...

... ben ça fait:

CROUNCHE

18 septembre 2006: Adieu la compo! Vive la compo!

Imaginez un compositeur.

Il vient de passer trois ans d'enfer à écrire... disons... une symphonie.

Le pauvre, il a sué, forcé, pleuré, et finalement difficilement accouché de ce morceau de musique.

Mais là, c'est terminé.

Tout est sur papier, les fautes sont corrigées, et voilà...

800 pages

SON CHEF-D'OEUVRE!

Non.

Ce qu'il a dans les mains, c'est rien.

C'est du vide.

Ce sont des feuilles 8½ par 11 noircies par l'encre de son imprimante.

Une oeuvre qui n'est pas entendue, c'est une oeuvre qui n'existe pas.

...et le papier, c'est muet.

Vous aurez beau coller votre oreille sur une partition de Mozart,

... ...

vous entendrez jamais ses sonates ainsi.

J'entends parfois des gens qui comparent les difficultés compositionnelles de musiques populaires aux problématiques de composition de la musique dite « classique ».

Un accord de la !

Non ! Un accord de ré !

Certains problèmes sont les mêmes...

Bon, comment est-ce que je termine ma toune ?...

... mais il y a une dimension majeure que l'on oublie en composition classique.

Les groupes et compositeurs pop sont, la plupart du temps, interprètes de leur propre musique...

Tes yeux sont bleus...

Comme du savon bleu...

BRAVO !   BRAVO !

... tandis que le compositeur classique doit se trouver des interprètes pour jouer sa musique.

Euh... s'cuse... ça te tenterait-tu de jouer ma toune ?

interprète

153

Tant que la musique n'est pas entendue...

... elle n'est pas créée,

elle n'existe pas.

C'est pour ça que j'avale un peu de travers quand j'écris des pièces pour des interprètes et que la création est reportée.

Désolé.

Peut-être plus tard.

Récemment, deux de mes potes m'ont annoncé des mauvaises nouvelles concernant la création de mes tounes.

Désolé.

Faudrait organiser un autre concert...

Si c'était juste une, ok, c'est des choses qui arrivent...

Bah... au moins, l'autre va être créée, c'est déjà ça.

Mais là, l'autre aussi... J'ai pas le choix de me remettre en question.

Comment réagir ?

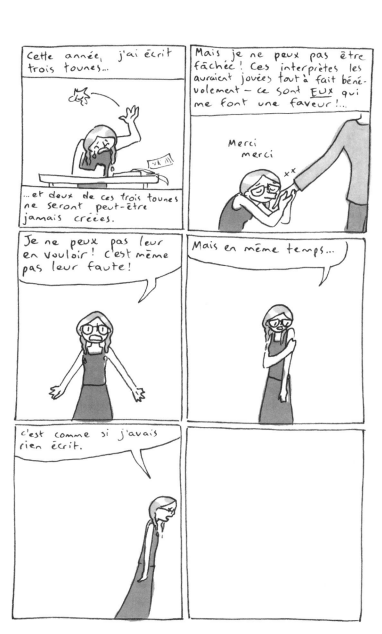

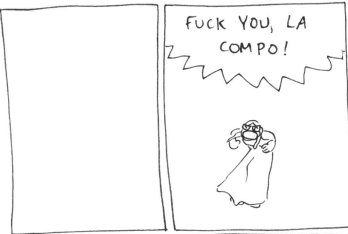

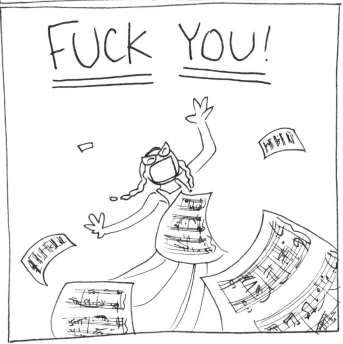

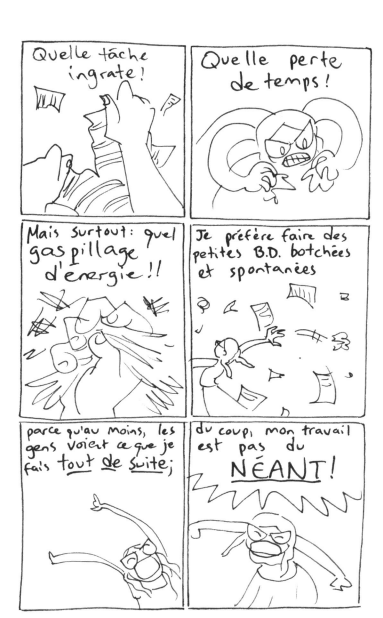

Mais j'aime tellement la musique...

Je comprends mieux
Michel Longtin, maintenant,
quand il me disait que
composer de la
musique, c'était de
la souffrance.

22 septembre 2006 : un lundi matin...

Je me lève à 6h30 chaque lundi, mardi, mercredi et jeudi.

toc

Maxime, lui, il se lève plus tard, alors j'essaie de pas faire trop de bruit.

Bââãille

Je vais voir mes courriels...

Toujours rien.

Je fais mon lunch pour l'école, un restant de spaghet....

Après, je vais m'habiller. J'enlève mon super pyjama carreauté rose.

Je fais le moins de bruit possible.

zzz

Je laisse mon pyjama sur le lit, on le range sous les draps quand on fait le lit.

Pour déjeuner, je vais m'ouvrir une canne de soupe minestrone.

J'aime pas trop le sucré le matin.

160

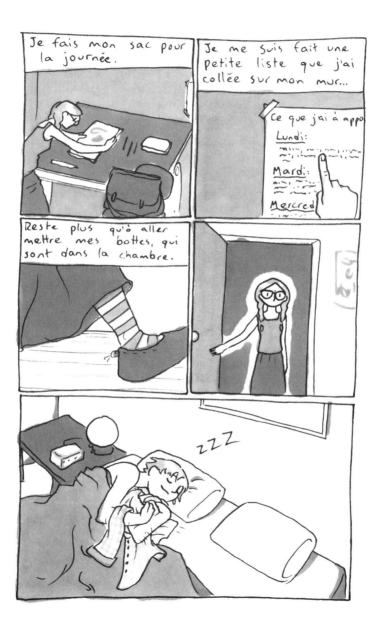

24 septembre 2006:

TROIS HOMMES DANS UN SALON

BREL   FERRÉ   BRASSENS

Maxime, il est plus de type Brassens.

♪ ce n'était rien qu'un feu de bois, mais il m'avait chauffé le corps... ♪

Moi, je suis définitivement de type Brel.

♪ Viens! il me reste ma guitare, je l'allumerai pour toi et on sera ESPAGNOLS! ♪

162

Et aucun des deux n'est de type Ferré.

Maxime, il possède ce livre: « Trois hommes dans un salon ».

Il s'agit de la transcription d'une rencontre historique entre Jacques Brel, Georges Brassens et Léo Ferré.

Un truc qui a été radiodiffusé et qui n'a jamais pu être rediffusé à cause de fucks de droits d'auteurs ou ché pas trop.

Le type, désemparé, a décidé de tout retranscrire et de faire un livre.

C'est le seul métier dont je serais capable!

Un vrai travail de fou, parce qu'ils parlaient souvent en même temps!

Ça fait un beau livre avec plein de superbes photos...

...et plein de phrases qui s'impriment dans votre tête et vous obsèdent.

Je sais pas trop par quel moyen, mais on a mis la main sur cet enregistrement.

Regarde ce que j'ai!

En écoutant ça, on peut super bien cerner les trois personnages.

Y a Brel, le poète.

Non sans humour, c'est celui qui dit les choses «avec la manière»...

Le tout, c'est de savoir ce qu'on fait quand il y a un mur devant: est-ce qu'on passe à côté, est-ce qu'on saute par-dessus ou est-ce qu'on le défonce?

...mais en fait, le point commun, ça n'est pas de savoir ce qu'on fait avec le mur, c'est quand même que, tous les trois, on a envie d'aller de l'autre côté du mur qui se dresse momentanément.

Et c'est ce qui prouve qu'on est pas des adultes, et que ce n'est pas fait pour nous!

Parce que le déplacement d'un individu par rapport à un obstacle... s'il s'occupe férocement de lui, il s'en fout complètement, du mur !

Vous savez ce qu'il fait? Il construit un autre mur avant, il met un toit dessus et il s'installe, oui !

C'est ce qu'on appelle bâtir !

AH AH AH AH AH

Y a Georges, le gros rigolo grincheux...

Y a des poètes très emmerdants, d'ailleurs...

Non, vous savez ce qu'on est, tous les trois ?

De pauvres connards devant des pieds de micro !

C'est probablement le plus attachant, le plus humble.

Nous, on écrit des choses, on les lance au public, chacun a le droit de nous juger, de dire que c'est de la merde ou c'est... .... nous autres, on a le droit aussi.

Et puis... ben... Y a Léo Ferré.

Les gens qui se disent poètes, ce sont des gens qui ne le sont pas tellement, au fond.

Et puis, il s'exclame sur la beauté des phrases qui se disent-souvent.

Il vient de le dire très bien: « obligé de rencontrer la mort »... C'est très beau ce qu'il a dit, ça je dois dire.

Les gens les plus intelligents reçoivent d'abord les paroles. Les gens les plus sensibles...

Ferré, lui, il met plein de choses dans la bouche de ses deux compatriotes.

Nous, on est fétichistes avec les femmes!

Nous? Mais qu'est-ce qu'il raconte!?

Et il a dit, à propos des chansons:

Il y a des gens qui reçoivent d'abord la musique, d'autres, d'abord les paroles.

...— et peut-être les moins intelligents, ce qui est possible aussi— reçoivent d'abord la musique, et écoutent les paroles ensuite.

Moins intelligents!!

CONNARD!

Le boutte le plus drôle de l'entrevue, c'est quand Léo Ferré s'exclame!

Ah! J'ai une idée!

Comme ça!

(je paraphrase)

Vous savez ce que j'aimerais faire avec vous deux, les potes?

Un jour, on se loue les 10 plus grosses salles de France — oh, ce serait merveilleux — et on chante à tour de rôle!

Je monte sur scène, je chante, ensuite Brassens et ensuite Brel! Le public serait fou de joie!

Quelle idée magnifique!

Allez! Qu'est-ce que vous en pensez?

167

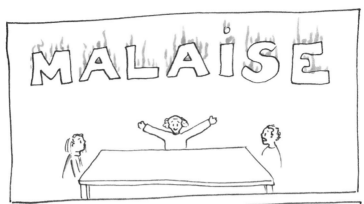

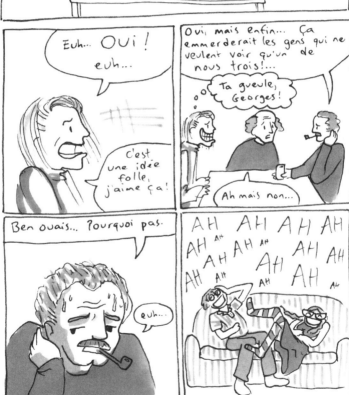

23 octobre 2006:

En fin de semaine, je suis allée à...

Ça s'est décidé ainsi:

Iris! Je te promets de venir à ton lancement!

tap
tap

Cool! Tu viendras! ça va être à Gatineau!

Euh... C'est pas à Montréal? Euh...

tap tap

Merde. Dans quoi je me suis embarquée!

Le problème, c'est que Gatineau est à 3 heures de route d'où j'habite.

Mont.

loin.

Gat.

Pour ceux qui le savent pas, j'ai autant le sens de l'orientation qu'un...

Mais n'écoutant que mon esprit d'aventure, j'ai rapatrié 2 potes et mon frère pis on a décidé d'y aller!

BRIGITTE · CHARLES · MOI · SAMUEL

Au début, on était juste supposés y aller samedi, mais Iris nous a magnanimement offert le gîte.

HOSANNA

Ça fait qu'on a paqueté les p'tits pis on est partis pour...

LA FOLLE AVENTURE DU FESTIVAL DE B.D. DE GATINEAU!

VROUM!

J'étais à peine arrivée sur le site du festival que déjà j'avais un accueil remarquable.

HÉÉÉ!

Jimmy!

ALLÔÔÔ!

On est cons, on a pas présenté Brigitte à Jimmy.

HÉÉÉ! ZVIANE!

Blabla

?? Thomas-Louis côté! ??

(Thomas-Louis, c'est le mastermind du festival de B.D. de Québec. Je l'avais rencontré au lancement du Plan Cartésien, et puis il m'avait parlé de mon bestiaire des fruits.)

Là, il me présente les gars autour, mais ça va tellement vite que je me rappelle plus aucun nom.

Lui c'est tel

Allô!

Pis lui, Pis lui

On fait de la musique!

Baba cool!

Prends ma carte!

Viens à Québec!

Cette entrée en matière a donné le ton à tout l'événement : __WOW__.

C'est absolument l'inverse du lancement du Plan Cartésien, où je ne m'étais pas sentie à ma place.

J'en revenais pas. Y a des gens qui connaissaient mon blogue, mes B.D.!...

Du monde que je ne connais que de nom et dont j'aime le travail, là! AYOYE!

Ça m'était jamais arrivé!! C'est tout un buzz.

C'est... hallucinant.

Qu'on se comprenne bien. Je fais pas de la B.D. pour être populaire. Je ne veux pas non plus me faire éditer à tout prix.

Aimez-moi.

Mais ne me touchez pas.

Seulement, quand je regarde la belle gang qu'il y avait à Gatineau, je me dis : eille... je veux faire partie de ça. C'est __beau__.

VIVE LA B.D.!!

Quelques bons moments de Gatineau

Le plan de match à côté des portes du musée

Iris

fait que après, revenez ici et garez-vous là-bas...

Ce serait pas mieux que...

30 minutes plus tard...

... puis là on va revenir en taxi et le lendemain...

Non, on ferait mieux de s garer là et de prendre l'autobus puis...

Le dîner au St-Hubert

Pis je vais prendre...

Est-ce que je rêve ou je viens de voir une infirmière cochonne ??

Le 'tit dessin qu'on a fait Brigitte et moi pour les gars de Québec...

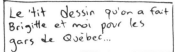

C'est-tu ça qu'il fallait faire ?

Non.

(Ah oui, j'ai appris qu'à Québec, la majorité des gens s'appellent Pierre)

Hey Pierre !

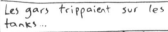

Quoi ? Quoi ? Quoi ? Quoi ? Quoi ? Quoi ?

La BD de spiderman avec les EXPOS DE MONTRÉAL !

Hey! C'est Philipe Alou ! AAAAH! Pis YOUPPI !

SPIDER MAN

Les gars trippaient sur les tanks...

AAAAAAH ! DES TANKS!!!

Yééé ! FLASH

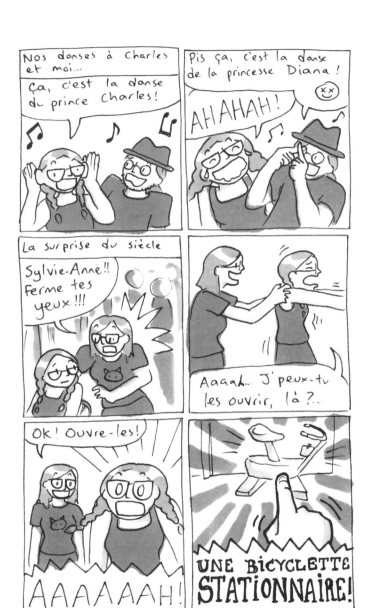

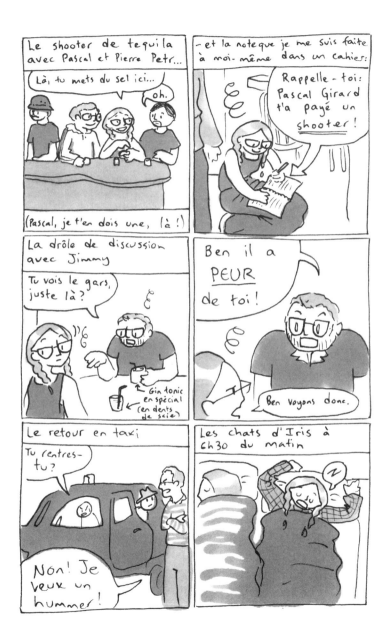

176

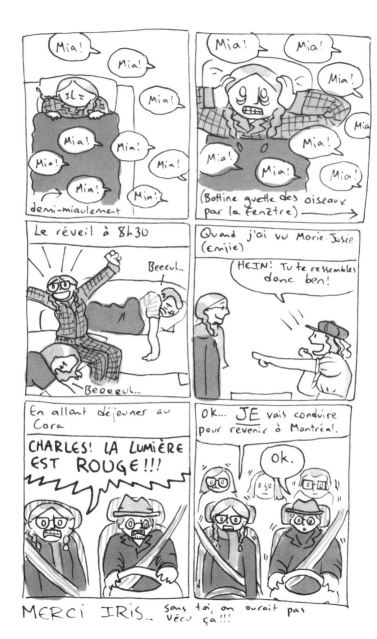

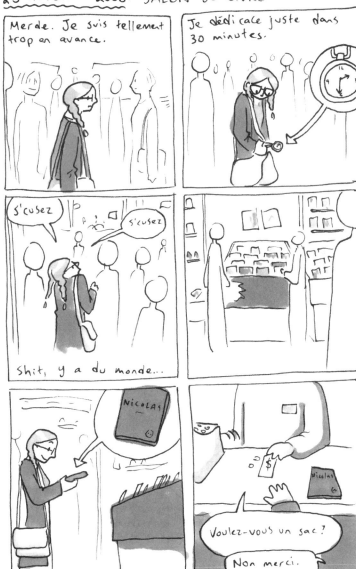

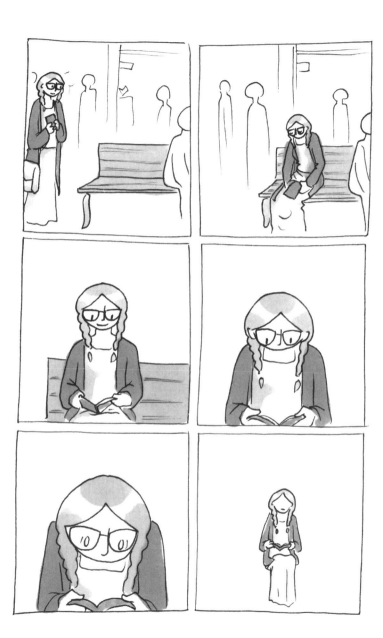

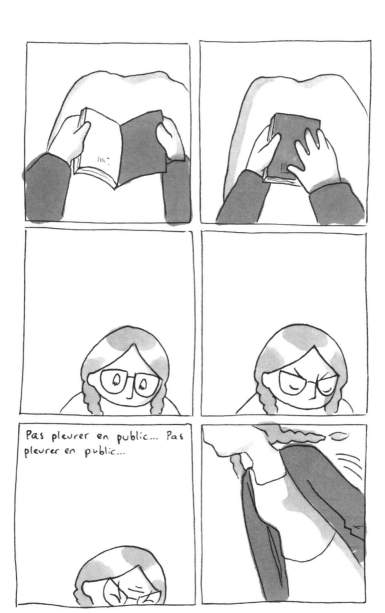

Pas pleurer en public... Pas pleurer en public...

Mes mains shakent ?...

C'est-tu le stress des dédicaces? C'est-tu le livre de Pascal? C'est-tu une baisse de sucre?

Glup

Si je mange une bouchée de plus, je la vomis.

Bon ben... je devrais y aller...

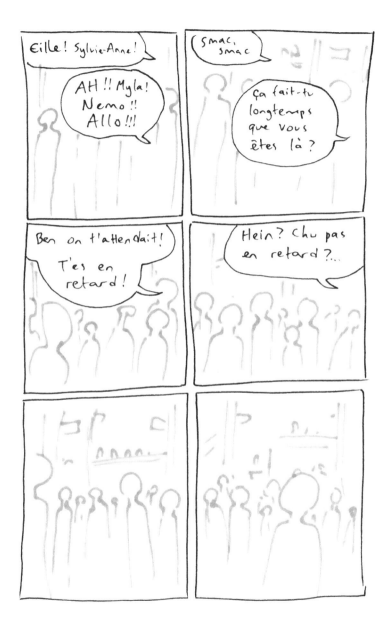

184

<u>1er décembre 2006</u>: il neige!

C'est le premier décembre et...

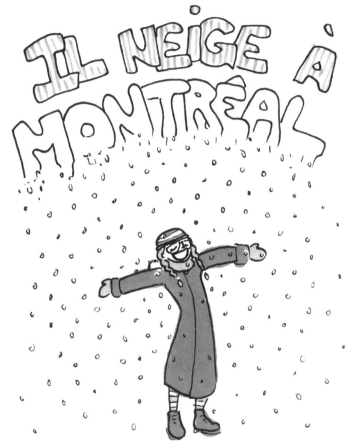

185

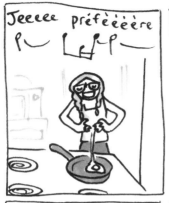

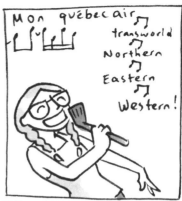

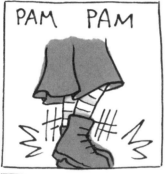

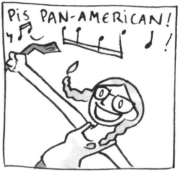

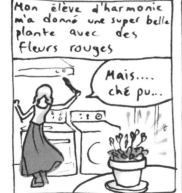

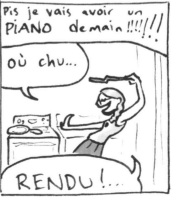

22 décembre 2006:

La danse des formulaires

Mettant en
vedette:

ZVIANE

Intro!

♪ ♪ ♪ ♪

pom pom pom   tou tsi tsi   toutsi tsi   toutsitsi   toutsitsi

Couplet #1

Le certificat
de
naissance

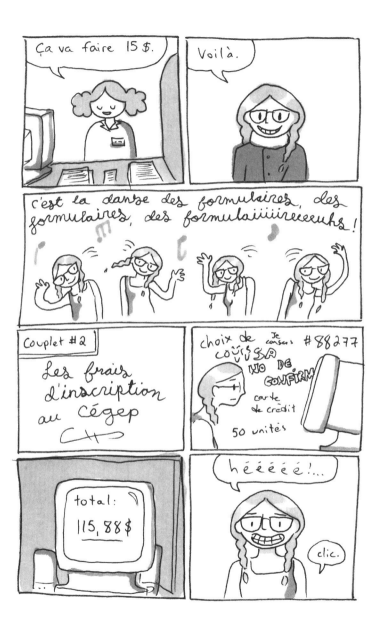

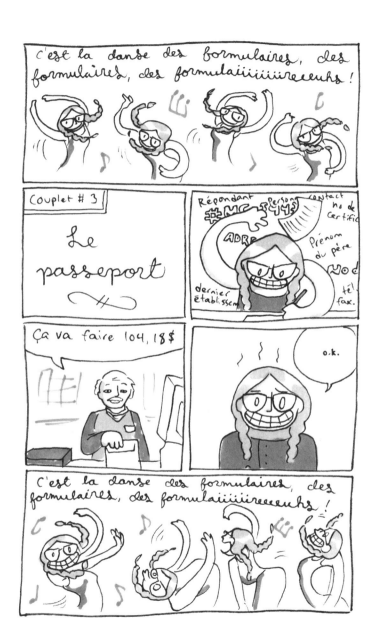

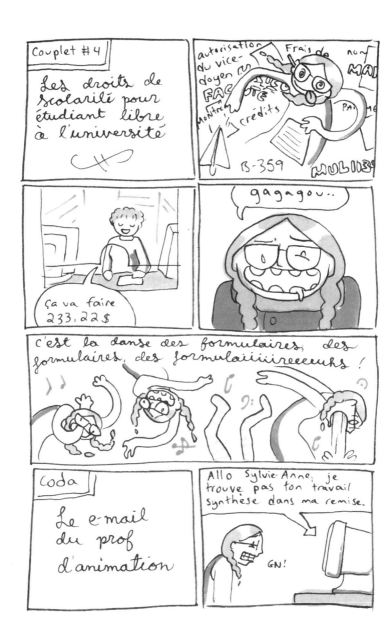

Si je l'ai pas, je suis obligé de te mettre un échec pis va falloir que tu demandes une révision de note...

révision de note... révision de note...

RÉVISION DE NOTE = FORMULAIRE + $$$

c'est la danse des formulaires, des formulaires, des formulaiiiiiiieeeuhs!

29 décembre 2006: bilan.

2006 tire à sa fin... C'est le temps des

Voyons voir si j'ai tenu mes résolutions de 2006...

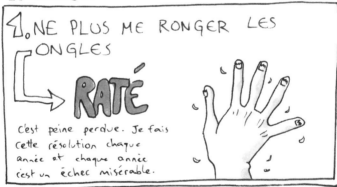

1. NE PLUS ME RONGER LES ONGLES

⌐→ RATÉ

C'est peine perdue. Je fais cette résolution chaque année et chaque année c'est un échec misérable.

2. ARRÊTER DE DÉPENSER POUR DES TRUCS STUPIDES

⌐→ RÉUSSI

(Je suis plus pauvre que jamais, alors c'est sûr que je dépense moins!)

Ouin, maintenant, elle dépense pour des factures d'hydro, pis des comptes de téléphone.

3. N'AVOIR QUE DES A+ POUR MA DERNIÈRE SESSION D'UNIVERSITÉ

↳ RATÉ

Sacramouille!

(mais bon, c'est quand même pas pire, là!...)

J'ai eu A en Gestion de carrière.

4. M'INVESTIR PLUS EN COMPO

↳ ???

Ben euh... ça a marché pendant l'année jusqu'en septembre...

Mais là, chu en dessin animé, je compose pus pantoute de musique!

5. DEVENIR CÉLÈBRE/RECONNUE DANS UN DOMAINE*

↳ RÉUSSI

Mes betteraves marinées sont reconnues comme étant excellentes!!!

* Tu parles d'une résolution

193

6. ARRÊTER DE CHIALER SUR DES TRUCS STUPIDES

↳ RÉUSSI (mes cours à l'école comptent pas)

Vous me croirez peut-être pas, mais je chiale pas mal moins qu'avant.

(parce que c'est PAS des trucs stupides)

Je fais attention

7. FAIRE PLUS DE CONCERTS AVEC MES TOUNES

↳ RÉUSSI

EILLE! J'ai fait jouer mes tounes dans 5 concerts cette année!!! OUAIS!

2003: 1 concert
2004: 3 concerts
2005: 1 concert
2006: 5 concerts

(ça peut paraître peu pour vous, mais pas pour moi)

8. FAIRE PLUS ATTENTION AUX FAUTES D'ORTHOGRAPHE QUAND JE TAPE À L'ORDINATEUR → MSN compte pas.

↳ RÉUSSI

Je fais encore des fautes, mais je me relis plus souvent et je me corrige !!

13 janvier 2007: merci Maxime.

Y a une résolution dont je n'ai pas parlé.

L'an dernier, à pareille date, je prenais la résolution de ne plus jamais me faire d'attentes à propos de mon anniversaire.

Ouais! c'est une date comme toutes les autres!

Voyez-vous, c'est dur d'avoir sa fête pendant les vacances de Noël.

Y a tellement de fêtes déjà, on n'a plus le goût de fêter et on devient tous épuisés et/ou malades.

Du coup, les gens vous oublient pour votre anniversaire.

Mais cette année...

Le 30 décembre, je vais souper chez mon père.

Maxime   Papa   Mon
      moi   frère
                        Annie

On mange de l'agneau (lâchez-moi, chu PAS végétarienne!!).

195

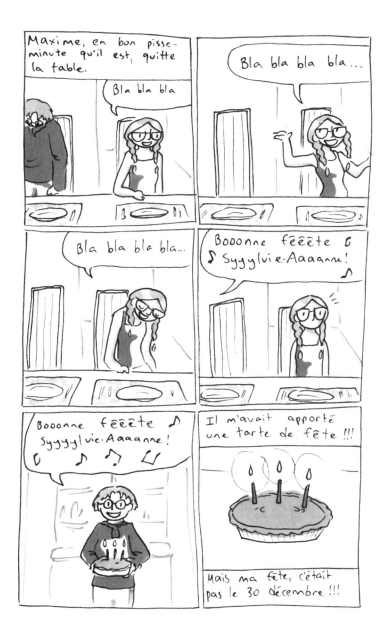

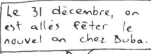
Le 31 décembre, on est allés fêter le nouvel an chez Buba.

♪ ♪ ♪ SATURNE!

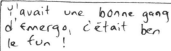
Y'avait une bonne gang d'Emergo, c'était ben le fun !

Smells like teen spirit

(danse des cheveux)

Pis à un moment donné...

Ton numéro 7, c'est de la merde !

Tyson

Pourquoi? explique!

un peu bourrée

95e drink

Booonne fêêête ♪ Syyylvie Aaaanne! ♫

Booonne fêêête ♫ Syyylvie Aaaanne! ♪

Il m'avait apporté un Jos Louis de Fête !!!

Mais ma fête, c'était pas le 31 décembre !

197

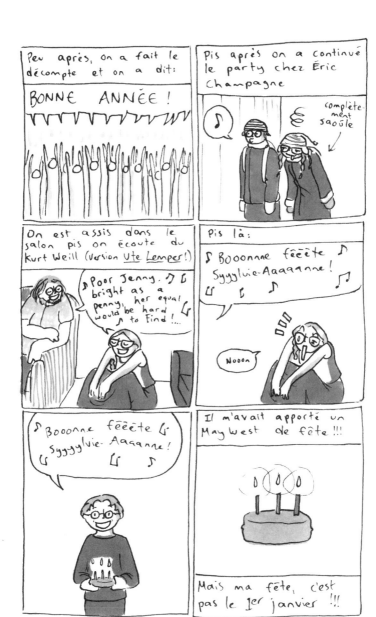

Au soir du 1er janvier, je vais souper chez la mère de Maxime.

Plein de bonne bouffe !!

Pis rendu au dessert:

♪ Booonne fêêêête ♭ Syyylvie-Aaaanne ! ♫ ♩ ♭ ♪

ENCORE!

♪ Booonne fêêête ♫ Syyylvie-Aaaanne ! ♭ ♩ ♭

Marie-Claude (ma belle-mère) a mis (de connivence avec Maxime) des feux de Bengale sur le gâteau!

Ils m'ont concocté un.. gâteau de... euh... Non, c'était pas vraiment un gâteau...

C'était un bloc de crème glacée avec plein de petites pépites de chocolat et des framboises...

Pis on le mangeait avec un coulis au chocolat tout chaud...

C'était MALADE !!

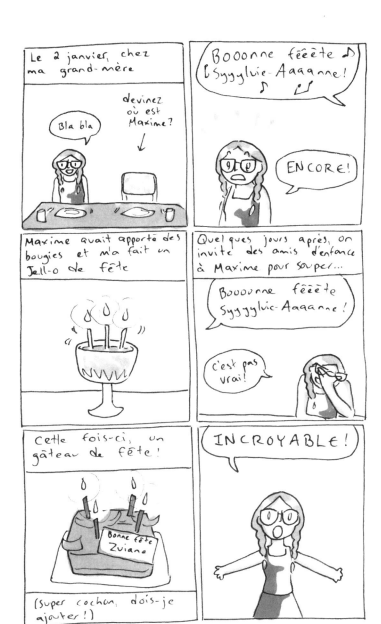

Cette année, Maxime m'a chanté et a fait chanter au monde le thème de bonne fête,

en mon honneur,

pas moins de

6

fois

Assez ironiquement, le 3 janvier, c'était le vrai jour de ma fête...

Pis j'ai pas fait grand-chose de spécial.

on a regardé le Bye Bye de RBO →

(En fait, j'avais invité du monde chez nous, mais une seule personne est venue et elle est partie pas longtemps après.)

Emmitouflée dans ma couverte rouge ↓

Merci.

17 janvier 2007: 5 secrets.....

5 CHOSES SECRÈTES à propos de ZVIANE

(Bientôt, elles ne seront plus secrètes!)

1 Je rêve régulièrement d'<u>autistes</u>

Ça m'arrive pas mal souvent.

J'anime des autistes dans mes rêves...

Ça m'est même déjà arrivé de rêver que c'est Moi l'autiste!

Viens Mireille!

Mmm... elle viendra pas si elle a pas son lipstick.

Qu'est-ce que je fais?

ZZZ

En secondaire 3, j'étais
persuadée que j'étais
schizophrène

J'ai vu un site avec les principaux symptômes de la schizophrénie.

Il n'en fallait pas plus.

Faut aussi préciser que cet idéal romantique de l'artiste fou m'a beaucoup fait rêver.

stéréotype du génie fou →

Je me voyais 30 ans plus tard dans un hôpital psychiatrique à écrire des poèmes.

Malheureusement, je suis saine d'esprit......

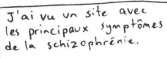 Ça fait des années que
je suis pas allée chez le
dentiste

Bah....... Ça coûte cher... ah... faudrait ben que j'appelle demain...

J'ai peur de mourir tout le temps

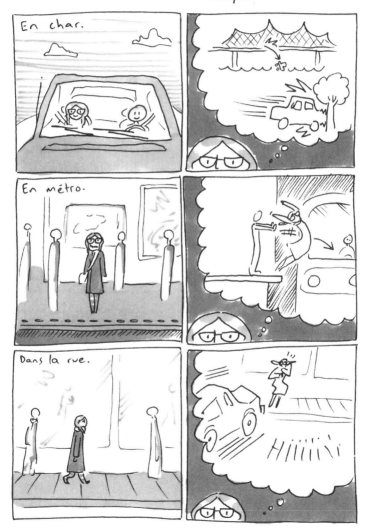

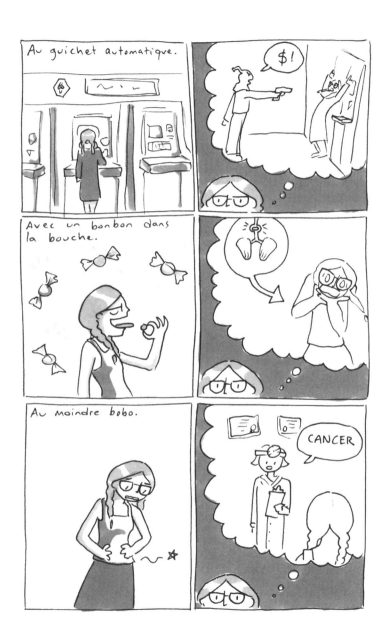

On a le choix: soit qu'on y voit un trouble obsessif-compulsif, ou bien donc on y voit une sacrée bonne raison pour faire de la bande dessinée et de la musique. Je peux mourir n'importe quand!! Faut que je me grouille à faire plein d'affaires. Vite!

 J'aime le boléro de Ravel !!!

Voilà, les secrets n'en sont plus...

25 janvier 2007: l'édition de partoches
Un compositeur, c'est:

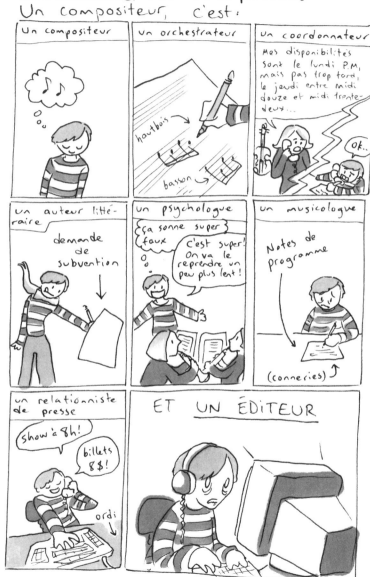

Du 26 décembre au 10 janvier dernier, j'ai consacré beaucoup d'heures à l'édition de partitions.

Pas mes tounes. Je compose plus depuis que je suis en dessin animé.

Ben non! Je dessine!

C'est une toune de Maxime, pour orchestre.

La toune va être

ÉCOEURANTE

Ça va être joué en février 2007.

Mais Maxime avait vraiment besoin d'aide, il croulait sous les corrections et les bouts à refaire.

HELP!

Mon pauvre gars! Tu t'en sortiras pas! Je vais t'aider à faire le matériel!

Quand on écrit une toune pour orchestre, faut bien sûr la partition pour le chef.

le «score»

dix mille portées, tous les instruments y sont

C'est impensable de donner ce score aux musiciens de l'orchestre.

Tiens !

Tu me niaises-tu ?

A) Ça rentre pas sur un lutrin.

B) Sur le score, y a genre 10 secondes de musique par page, des fois moins...

Les musiciens ne joueraient pas, ils ne feraient que tourner des pages !!!

C) Le gaspillage d'arbres !!!

C'est pourquoi on donne au flûtiste une partition avec juste sa partie de flûte, au clarinettiste une partition avec juste sa partie de clarinette, etc. C'est ça qu'on appelle « le matériel ».

Merci !

Mais faut les faire, ces partitions indivi-duelles-là !!!!

Les compositeurs riches peuvent toujours s'engager du monde pour faire le matériel.

Plus vite !

Oui, maître.

Mais on s'entend que RICHE COMPOSITEUR, c'est un oxymore.

Alors devinez donc c'est qui qui les fait, ces parties séparées ??!

Y a un million de choses à arranger...

Le logiciel de partitions FINALE fait ça tout croche.

Faut tout refaire la mise en page...

cas classique

...déplacer les articulations qui embarquent par-dessus d'autres articulations...

Prévoir aussi les _tournes de page !_

C'est quoi ça ?

Ben le musicien qui joue... ben si y a une page à tourner...

Ben faut s'arranger pour qu'un _silence_ tombe en bas de la page pour qu'il puisse la tourner !

Elle joue pas pendant qu'elle tourne

Maxime, il avait une pièce de 5 mouvements avec 21 parties d'instruments chacune...

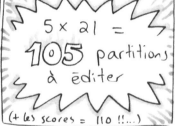

$5 \times 21 = $ 105 partitions à éditer

(+ les scores = 110 !!...)

J'ai passé des journées complètes devant l'ordi à éditer des partitions.

J'ose à peine imaginer ce que c'était dans le temps qu'y avait pas d'ordinateur...

Demandez-vous pas pourquoi les compositeurs mouraient super jeunes !

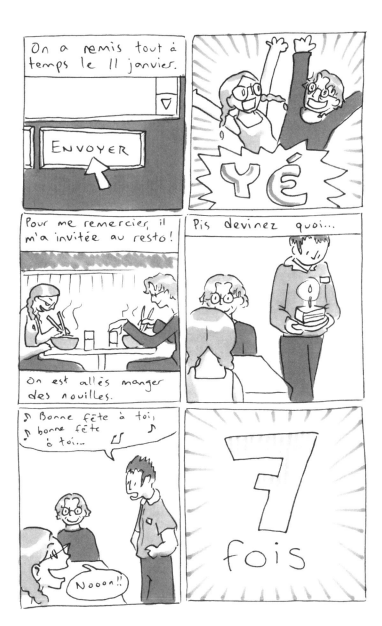

29 janvier 2007: Ma demande de maîtrise

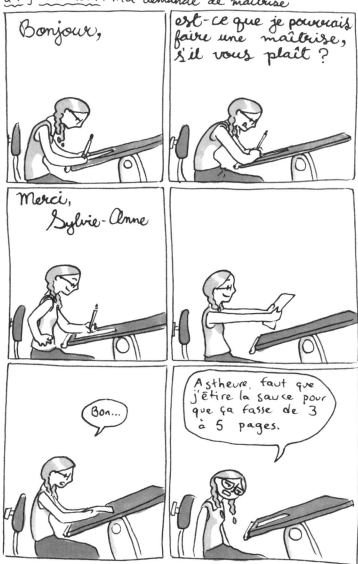

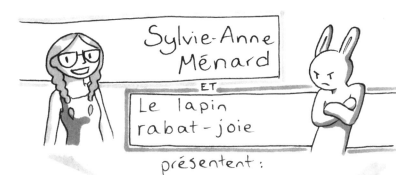

Sylvie-Anne
Ménard

ET

Le lapin
rabat-joie

présentent :

La genèse de préludes et de fugues

(La première demande
de maîtrise ludique
au monde)

(Cet ouvrage peut vous paraître long,
mais en version texte, ça n'excède
même pas trois pages — juré !)

Ma demande de maîtrise
par Sylvie-Anne Ménard

Écrire des préludes et fugues au XXIᵉ siècle, est-ce toujours possible?
⇒Mais bien sûr, quelle question! Il suffit d'en comprendre la structure formelle et de la traduire dans un langage contemporain qui puisse soutenir l'attention de l'auditeur. Aussi comme point de repère peut-on se baser sur un texte fondamental, un pilier de la musique occidentale: les

48 PRÉLUDES ET FUGUES
du clavier bien tempéré
de monsieur
JEAN-SÉBASTIEN BACH.

Mais Sylvie-Anne, comment faire le lien entre ce texte fondateur et la composition de musique d'aujourd'hui?

La maîtrise que je compte entamer en septembre 2007 se fera en plusieurs volets:

1. D'abord, avec le séminaire de fugue d'Alan Belkin, cela va de soi — afin de comprendre la définition même d'une fugue dans ses grandes lignes, d'en saisir les concepts et de les traduire en termes musicaux contemporains.

Qu'est-ce qu'une fugue? Ooo

Comment sortir de la fugue scolaire? Ooo

Comment traiter les paramètres propres au XXIᵉ siècle (comme le timbre)?

2. Ensuite, parallèlement, à partir de l'étude du langage harmonique (en regard de la forme) chez Jean-Sébastien Bach dans ses 48 <u>préludes</u> du clavier bien tempéré (un sujet spécial, échelonné sur un an, dirigé par Mme Luce Beaudet): un important travail d'analyse harmonique est nécessaire afin de dégager des constantes qui guideront la composition proprement dite.

> L'analyse sera orientée vers ces questions précises:

A Quelles sont les formules d'installation de la tonalité les plus récurrentes en début de pièce?

B Quelles marches harmoniques sont employées, où sont-elles employées et quelle est leur signification? Y a-t-il des constantes dans l'utilisation des marches ascendantes vs les marches descendantes?

C Quels sont les moments stratégiques où sont employées les pédales?

D Comment se comporte le parcours tonal ? Où se trouve la plus grande stabilité et la plus grande instabilité au sein d'un texte aussi court qu'un prélude ?

E Où retrouve-t-on l'emploi du mode mixte ?

F Comment Bach s'y prend-il pour faire varier les énonciations d'accords à fonction de dominante ?

G Quel est le lien entre la fugue et son prélude, outre la tonalité ?

H Comment Bach articule-t-il ses cadences ?

I Toute autre récurrence harmonique qui peut s'avérer utile à la composition.

Mais ça rime à quoi toutes ces questions ???

Où est la compo ?

Ça m'amène au point No 3 !

3. Finalement, la composition de PRÉLUDES et de FUGUES pour un ensemble à géométrie variable (quatuor à cordes, piano, clarinette et flûte).

Tu vas faire des préludes et fugues en langage tonal ??

Non.

Ben en quoi d'abord ?

En langage modal.

Ben je te suis pas, là. C'est quoi le lien avec Bach, d'abord ?

Suite aux conclusions amenées par l'analyse du langage tonal chez Bach, est-il possible de traduire les lois et constantes du système tonal (tel que traité par Bach) dans un système harmonique <u>modal</u> ?

Qu'on me comprenne bien, je parle d'un système harmonique <u>modal</u> en ce sens qu'il est construit sur un mode, soit le 3e mode à transposition limitée de Messiaen → et **NON** pour ses caractéristiques anti-tonales.

En fait, c'est le moment de mettre à l'épreuve un petit système harmonique modal de mon cru, que j'ai pu développer alors que j'étudiais avec Alain Lalonde.

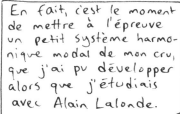

Il s'agit ici d'un système harmonique fonctionnel

qui repose sur un cycle de quintes basé à même le 3e mode nommé ci-haut et qui, doit-on souligner, comporte un <u>pôle</u> et <u>sa</u> <u>dominante</u>.

oui, vous avez bien lu:

SA DOMINANTE

PEUT-ON ÉCRIRE DE LA MUSIQUE AVEC DES DOMINANTES AUJOURD'HUI ???

La mort du système tonal, ce n'est pas la disparition de la tonique; c'est la disparition de la dominante !

La faire réapparaître équivaudrait donc à la résurrection d'une fausse tonalité !! ??

En quelque sorte, oui.

Mais mon argument, le voici:

Come on. Soyons de notre temps.

oh, c'est pas très beau ce dessin ↙

Le XXe siècle est terminé. Les dominantes ne choquent plus personne, au contraire: on ressent le besoin criant de les voir renaître.

Alors donc, le discours harmonique de mes préludes et fugues serait basé sur un petit système fonctionnel auquel on aura greffé les constatations par rapport à l'écriture tonale chez BACH.

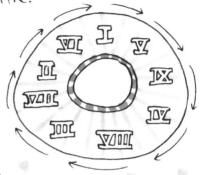

PAUPIETTE!

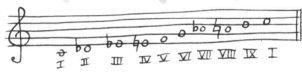

I II III IV V VI VII VIII IX I

I V IX IV VIII III VII II VI I

Un bref résumé de ce système est disponible à cette adresse:

http://www.zviane.com/autre/paupiette.htm

- «Granny Smith» pour piano solo
  ↳ Application stricte du système

- «Quelques divertissements pour trompette et piano»

  ↳ Expérimentation de deux formulations différentes du mode (mais avec le même système)

- «Poème de l'amour conservé dans une boîte» pour soprano et piano

  ↳ Application plus libre du système

- «Gruyère» pour quintette à vent

  ↳ Application du système avec une utilisation minimum d'accords différents.

Mais Sylvie-Anne, vas-tu t'empêcher tout détour de ton système et écarter de superbes idées musicales sous prétexte que ça ne colle pas avec ta théorie?

Rassurez-vous: la musique avant tout. Ce système n'est qu'une carte routière dans l'infini des possibilités musicales. Il n'en tient qu'à moi si je veux m'en écarter pour des raisons esthétiques.

Les préludes et fugues ainsi écrites devront aussi exhiber une large palette de caractères différents, un peu à la manière des Visions fugitives de Prokofiev; autant de caractères qu'il y a de pièces, toutes surmontées d'un épithète caractéristique qui dictera la direction que prendra la musique sous le crayon du compositeur.

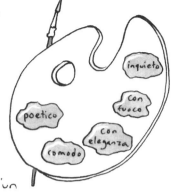

(ou de la compositrice, si vous acceptez d'accorder le nom au féminin (vive le Québec!))

À cela sera ajouté la rédaction d'un mémoire qui expliquera en long et en large les pourquoi du comment de tel ou tel choix musical, comme il se doit.

SEULEMENT, par souci littéraire, j'entends bien écrire un mémoire qui soit AGRÉABLE À LIRE.

Ainsi le parsèmerai-je de courtes histoires graphiques afin d'égayer le lecteur,

de dessins pour expliquer mes idées

et d'apartés sous forme de petites B.D...

... qui viendront enfin mettre un terme à cette fâcheuse rumeur selon laquelle les mémoires de maîtrise en composition ne sont pas intéressants à faire ou bien intéressants à lire.

Alors donc, voici les principaux personnages qui prendront part à ma maîtrise:

Alan Belkin

... pour ses séminaires de fugue, d'orchestration, et d'harmonie du XXe siècle.

Luce Beaudet

... qui me dirigera lors de l'analyse des 48 préludes du clavier bien tempéré de Jean-Sébastien Bach, lors d'un sujet spécial échelonné sur un an.

co-directeur n°2

Denis Gougeon

... qui lui me dirigera sur l'aspect compositionnel de mes préludes et fugues: est-ce que le tout se tient? Y a-t-il des incohérences dans la forme? Bref: il veillera sur le bon développement au niveau du macrocosme.

Sylvain Caron

...qui me dirigera sur l'aspect écriture de la composition, les détails contrapuntiques, harmoniques, timbraux, etc.— Bref, au niveau du microcosme.

co-directeur n°1

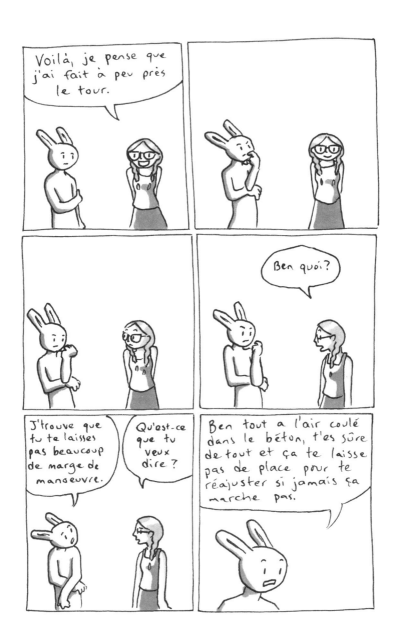

227

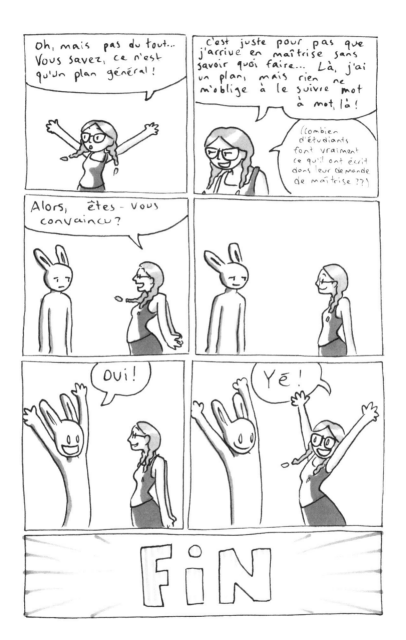

6 février 2007 : le karma.

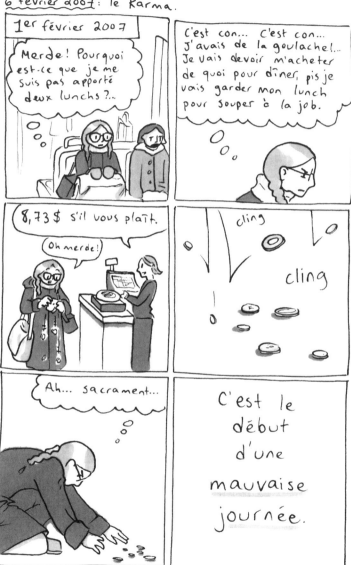

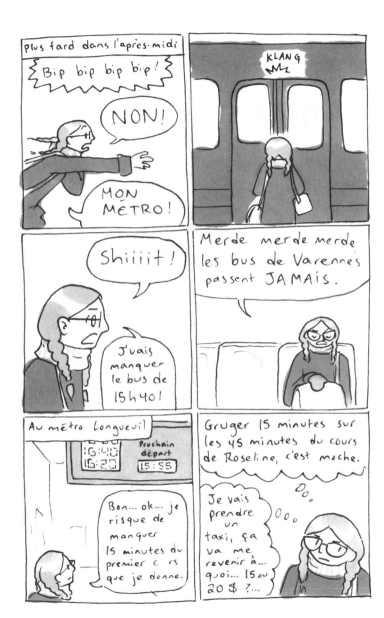

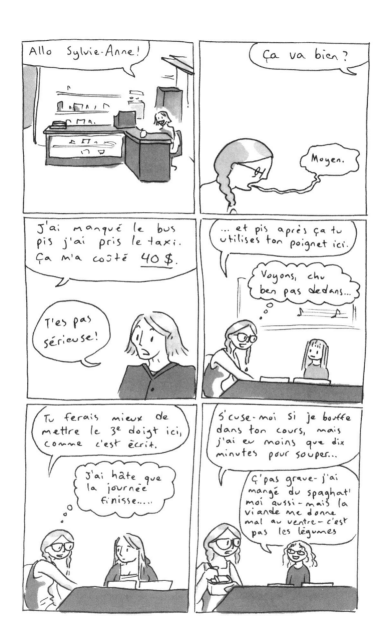

Céline vient pas, alors j'ai appelé Sylvain pour qu'il vienne une heure plus tôt.

oh.

Mais j'ai laissé un message sur son répondeur, je sais pas s'il l'a pris.

Une demi-heure plus tard...

Bon ben j'pense qu'il a pas pris ses messages... Merde, j'aurais pu manger maintenant...

Merde, si y'arrive à son heure habituelle, j'aurai pas de lift jusqu'au métro, moi...

Euh... Bon, Sylvain, je vais te donner un cours de 45 minutes au lieu d'une heure, sinon, j'ai pas de lift pour revenir chez nous. Je te redonnerai 15 minutes à un moment donné.

Pas de troub'!

Oh, j'pense qu'on a manqué le métro.

SHIT!

J'veux être chez nooous!

232

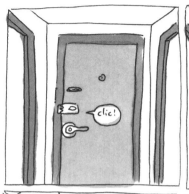

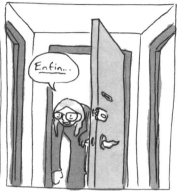

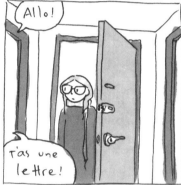

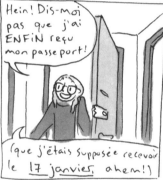

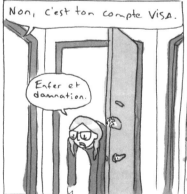

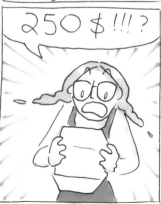

AW FUCK... Ils m'ont chargé pour le DVD de Ratataplan!...

MERDE MERDE MERDE!

(J'ai acheté un DVD sur Internet, sauf que le DVD était discontinué et ils me l'ont quand même facturé... le problème, c'est que c'est une compagnie italienne et JE PARLE PAS UN MOT D'ITALIEN.)

AM

Maxime... J'ai besoin d'un câlin.

Du coup, je pense à la théorie du karma de Catherine Pépé — qui calcule ses points de karma comme des points Air Miles.

Mais qu'est-ce que j'ai fait de si terrible pour avoir un mauvais karma de même !!?

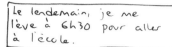

Le lendemain, je me lève à 6h30 pour aller à l'école.

manque de sommeil...
manque de sommeil...

manque de sommeil...
manque de sommeil...

manque de sommeil...

tap tap

Et là, y a quelque chose qui m'a réveillée.

OH SHIT !

Premier prix des étudiants et étudiantes en B.D. de l'ÉMI de l'Université du Québec en Outaouais

Les finalistes pour l'année 2006 sont:

Les derniers corsaires — Jocelyn Houde et Marc Richard

WILLIAM — Leif Tande

Le point B — Zviane

Tout s'explique!

L'équilibre du KARMA est rétabli.

À la fin du cours de B.D.

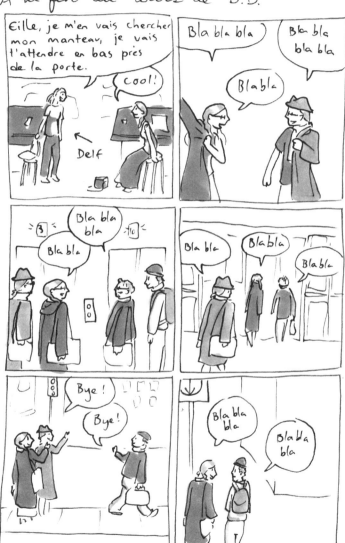

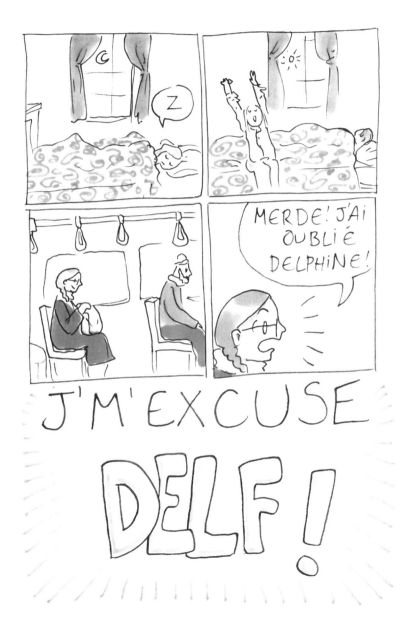

4 mars 2007: Gatineau, encore!

AAAAAH!!! Ça faisait même pas 5 heures que j'étais arrivée à Gatineau que j'avais déjà un <underline>MILLION</underline> de choses à raconter!!!

Avant de partir, je m'étais dit:

Ah non, cette fois-ci, je fais pas de B.D. sur mon voyage. Sinon, je vais traîner ça super longtemps et je vais me sentir obligée de le faire...

Dans l'autobus, j'ai même pas fait de la B.D., j'ai fait un brain-storm pour la toune pour le FBDFQ.

Y a Liliane Ménard qui vient me chercher à Ottawa, je me sens comme une vedette...

Eille, on a des noms qui se ressemblent!

Ben oui!

Mais ça, c'est rien, attendez de voir ma chambre d'hôtel!!!

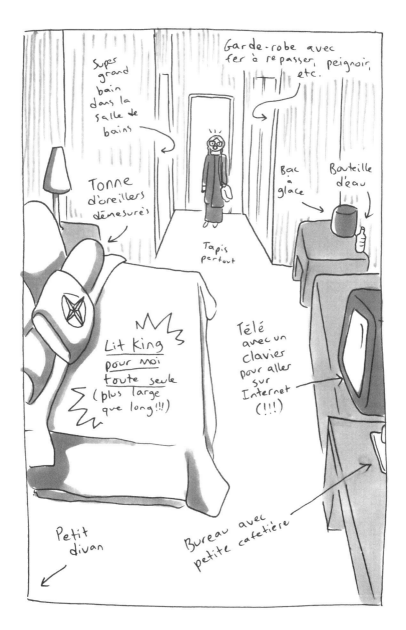

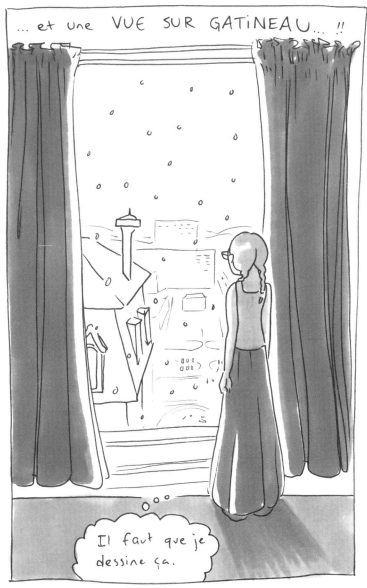

Il neigeait, en plus.

J'ai ouvert tous les tiroirs, pesé sur toutes les switches, lu tous les 'tits papiers...

Pis je me suis fait du café (il était décaf) juste pour le trip.

pschhh

yé!

Mais là, fallait que j'aille rejoindre Iris qui venait me chercher...

Merde, mon café décaf...

Iris va m'attendre

Mais tu peux pas boire ça super vite, du liquide chaud

Vite...

Chez Iris, on bouffe de la salade.

Bla bla bla bla bla bla bla bla bla bla bla bla bla bla bla bla

(Je dessine pas tout le bordel, j'ai pas envie.)

Ah oui, pis je lui avais apporté des bonbons japonais

chips d'algues

bonbons aux fraises

avec une face d'air bête

chips bizarres

Gummys dégueus

Mais le clou, ça a été la...

«Boisson de la semence»???

Euh...

ARK! On dirait des têtards!

La texture était effectivement très bizarre.

Plein de petites graines enrobées de gelée

(dans un jus)

Iris en a pris qu'une seule gorgée

URK!

Vers minuit et demi, elle m'a reconduite à l'hôtel et je lui ai montré ma chambre.

C'est malade, hein?

C'est GRAND!

Bon, ben je vais prendre une douche.

Les douches, ça réveille... Prends un bain!

Bye!

Mmm... yé un peu tard pour prendre un bain...

LA GROSSE VIEI SALE !

Qu'est - ce que la modernité ?

La modernité, c'est comme John.

John

John est un passionné. Il rêve du futur et de l'Histoire avec un grand H.

C'est là! par là!

John, c'est l'incarnation de la pensée du début du XXᵉ siècle : on a le vent dans les voiles, on est libres, wow.

L'humain surfe sur une vague de progrès technologiques et un avancement de la science sans précédent.

John a une foi aveugle dans l'évolution et le progrès humain.

Grâce au progrès, il n'y aura plus jamais de guerre!

John est donc un grand utopiste. Il fabrique des machines.

La machine va remplacer l'homme et plus personne ne crèvera de faim !

Mais John est tellement passionné qu'il ne voit que ses propres avenues.

L'Histoire est par là-bas, nulle part ailleurs !!

Éventuellement, John se trouve une femme. Ils se marient et fondent un foyer.

Un enfant naît de leur union: le petit Bob.

Qu'est-ce que la post-modernité?

La post-modernité, c'est comme Bob.

Bob
↓

Bob ne partage pas les idéaux de son père.

John est un connard.

Pourquoi est-ce que t'es pas content?! Tu vis dans le confort! Grâce à moi!

Bull-shit!

Qu'est-ce que ça a donné, ton sacro-saint progrès?

L'aliénation, les fours crématoires, la surconsommation, la bombe atomique, le réchauffement climatique!...

Y a pas eu de progrès, man! C'est de la poudre aux yeux!

Les guerres continuent et elles sont plus sanglantes!

Moi, j'embarque pas dans ces conneries-là.

Je te renie, mon fils!

C'est ça. Va chier.

Alors voici Bob: le fils blasé, qui ne croit plus en rien (suite aux catastrophes créées par son père), évaché sur son fauteuil.

247

Le monde, c'est de la merde.

Voilà ce que dit Bob.

Bob, dis-moi, es-tu satisfait du monde?

Tu veux rire? C'est du caca.

On va vers nulle part et personne nous aide. On vit pour un petit pain, pis même à ça les hommes se mangent entre eux.

Donc, il faut juger ceux qui se mangent entre eux?

Juger, c'est dire qu'une voie est mieux que l'autre et c'est entrer dans la game de John!

Toutes les idées peuvent mener à la catastrophe, peu importe les bonnes intentions, alors vaut mieux s'abstenir.

Toutes les idées se valent! Y en a pas une mieux que l'autre.

Toutes les idées se valent? Mais pour qui votes-tu?

Ahah! Les politiciens sont tous des menteurs corrompus. Tous.

Aucun ne te satisfait?

TOUTTES DES CROSSEURS!

Alors, pourquoi ne fondes-tu pas un parti avec tes propres solutions?

Des solutions!? Wôôôô... Minute, là!

La politique, ça m'intéresse pas. C'est toutte.

C'est de la marde.

Maintenant, sacre-moi patience, y a Loft Story à la télé.

Voilà. C'est Bob.

Bob n'a pas tout à fait tort de détester John. Le «progrès» humain a dévié de son dessein initial au profit de la loi du marché.

Le fanatisme de John a fait de beaux dégâts.

Pas bon pour l'homme, ça.

Mais l'apathie de Bob ne règle rien. Son absence d'idéal le mène à la perte de son individualité.

Pas bon non plus.

Il se laisse manipuler à loisir, il perd son esprit critique.

De la pâte à modeler.

ça ———→ a engendré ———————→ ça

Il doit y avoir une alternative...

Sinon, on est foutus.

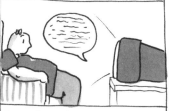
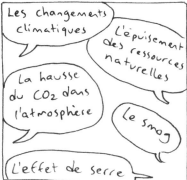

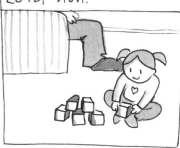
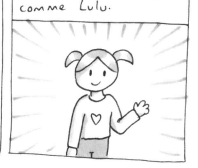

Lulu est une enfant de la fin du monde. Elle est née le jour où l'on a appris que l'humanité n'en avait plus pour très longtemps.

Elle est encore jeune, mais lucide. Elle admire son défunt grand-papa...

... elle adore son papa d'amour...

... mais elle sait reconnaître leurs défauts.

Elle n'ira dans aucune des deux voies.

Est-ce que Lulu est en mesure de sauver le monde ?

Bien sûr, Lulu recyclera ses cannes de conserve, utilisera son vélo plutôt qu'une voiture, achètera des carottes bio...

...mais est-ce que ce sera suffisant pour éviter la catastrophe écologique ?

(Conséquence directe de la vanité de John et de l'apathie de Bob.)

Peut-être que oui.

Peut-être que non.

Peut-être qu'il est déjà trop tard.

253

Comment Lulu réagira-t-elle face à sa propre mort ?

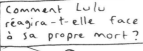

Comme l'aurait fait John ?

AAAH! C'est LA PANIQUE! ON VA TOUS CREVER!! FAUT AGIR! COMME ÇA, COMME ÇA, COMME ÇA! RIEN D'AUTRE!

Comme l'a fait Bob ?

La vie, c'est de la merde!

On va tous crever.

Pis on peut RIEN faire.

Non. Lulu dira:

La vie est magnifique.

On va tous crever.

Je vais aller dire à ceux que j'aime que je les aime avant de disparaître.

Lulu n'intime pas d'ordre.

...parce que la volonté doit venir de soi-même.

Lulu n'utilise pas le sarcasme.

...parce qu'il rehausse les laideurs du monde et elle en cherche les beautés.

Tiens, donnez du papier et un crayon à John.

Il dessinera des machines, des choses abstraites compliquées, à partir de formules mathématiques...

Et puis il écrit une clef de compréhension sur son concept et sur sa démarche intellectuelle.

Voilà!

1000 pages →

Voilà! C'est mon legs pour la postérité! Je fais partie de l'Histoire!

ma démarche

Maintenant, donnez un crayon et un papier à Bob.

Bob, il fait une caricature de l'oeuvre de John, pour s'en moquer.

N'importe quoi!

Puis, il fait des collages de d'autres trucs qui existent déjà, parce qu'il a pas d'idée meilleure.

N'importe quoi.

Ça vaut autant que n'importe quoi d'autre.

Pis ça sert à rien! Je m'en retourne écouter Loft story.

Finalement, donnez le crayon et le papier à Lulu.

Elle dessine des fleurs, des soleils...

Aussi des gens qu'elle aime, comme un dernier hommage avant la mort.

Avec plein de couleurs!

Il ne nous reste pas assez de temps sur la terre pour dessiner autre chose que de belles choses.

Il n'y aura pas de postérité.

Il n'y aura pas de postérité.

On a de fortes raisons de croire que si on ne fait rien maintenant, on sera tous morts dans 150 ans.

Imaginez deux secondes qu'il n'y aura peut-être plus aucun homme sur la surface de la terre dans 150 ans.

Imaginez qu'il est peut-être trop tard pour renverser la vapeur.

On fonce droit sur un mur.

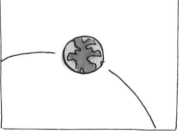

Imaginez la fin de l'humanité...

...et la planète qui nous survivra.

Tout a un début, une apogée et une fin.

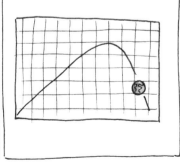

Ben tant qu'à être rendus à la fin, pourquoi pas faire en sorte que ça <u>finisse bien</u> ?!

Les actes qu'on fait méritent tous d'être beaux !

Les choses qu'on fait méritent toutes d'être des chefs-d'oeuvre !

Cadeau pour maman →

Les gens autour de nous méritent tous d'être appréciés !

Deux billets, s'il vous plaît

Peut-être qu'après tout, c'est la fin du monde elle-même qui nous sauvera de la fin du monde...

Mais peu importe si c'est le cas ou pas, moi je persiste et j'essaierai de faire de cette fin...

La plus jolie
fin du monde

11 mars 2007: demain, je travaille.

Lundi

Mardi

Mercredi

Jeudi

kof

Vendredi

Samedi

AAAH

J'ai deux ballons de football à la place des amygdales.

Je ressemble à Jabba the hutt!

Au moment où j'écris ces lignes, j'attends à la clinique.

Même dans l'adversité, je fais de la B.D. !

Il y a deux grands paradoxes à la maladie.

Kof Kof

Premièrement, c'est quand on a mal qu'on a le plus besoin de bisous et de câlins.

Mais qui veut câliner Jabba the hutt ???

Pis je veux pas attraper ta maladie, quand même.

262

Deuxièmement, ben quand on est malade, notre esprit d'aventurier se tourne à off.

Beeeuh... J'me lève pas....

J'veux pas sortir du lit!... kof kof kof

Ouais, sauf que si t'es vraiment pas bien, faut aller voir un médecin.

... d'autant plus que y a plein de profs qui veulent un papier du médecin pour justifier une absence.

VIVE LE CÉGEP

Je suis trop malade pour aller à l'école...

Mais faut quand même que je me lève pour aller à la clinique !??

kof kof

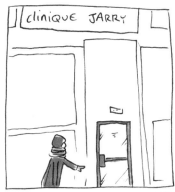

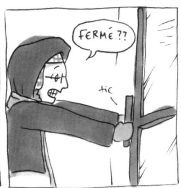

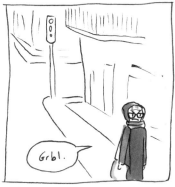

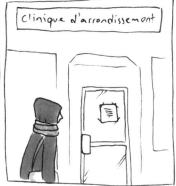

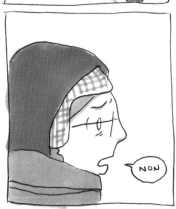

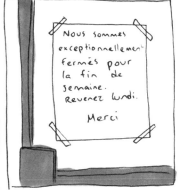

Cibole!! Si je suis capable de marcher 10 kilomètres pour trouver une clinique, peut-être que je suis pas si malade que ça!

Et comme de fait (après seulement une heure d'attente):

AAAAA

Pas de taches blanches sur les amygdales, pression artérielle parfaite, bon battement...

Ça va aller, c'est qu'un petit virus qui va partir.

Donc, je retourne chez nous, je me repose et je bois du liquide?

Oui.

J'ai RIEN!???

C'est frustrant d'avoir mal et de se faire dire qu'on n'a rien. Surtout après 10 kilomètres de recherche.

Ouin, dans le fond, c'était ça que j'étais venue entendre.

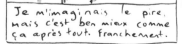

Je m'imaginais le pire, mais c'est ben mieux comme ça après tout. Franchement.

Trop shitty pour travailler, je me suis évachée sur le divan pis j'ai écouté des films de Svankmajer pis Brazil pour la 3e fois.

Demain, je travaille!

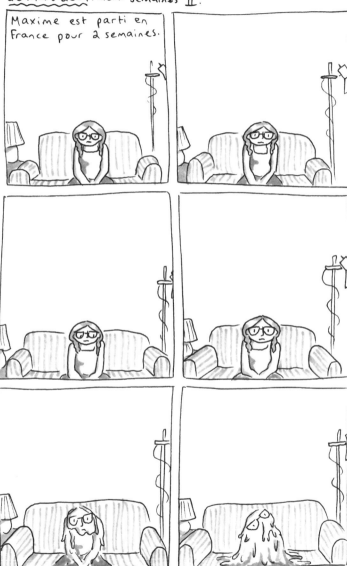

Maxime est parti en France pour 2 semaines.

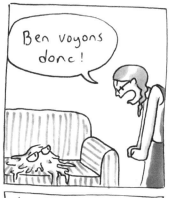

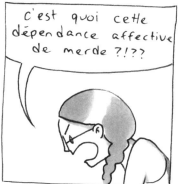

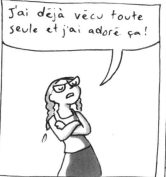

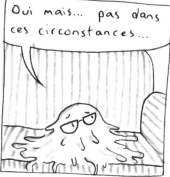

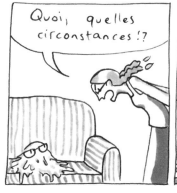

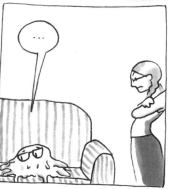

Bon, ok, ok, Maxime est pas là.

Je devrais donc en profiter pour faire des trucs que je ferais pas s'il était là.

Ben oui! C'est vrai!

Ça fait que je suis allée me lover...

DES DESSINS ANIMÉS JAPONAIS!!

Millenium actress

Dead leaves

The place promised in our early days

22 mars 2007 : l'école à vie.

La nuit dernière, à 2 heures du matin...

kof kof

Je peux pas dormir ! J'arrête pas de tousser !!!

3 heures

kof kof

4 heures

kof kof

Quand mon cadran a sonné, j'étais trop scrap pour me lever.

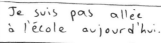

Bip bip bip

Je suis pas allée à l'école aujourd'hui.

Depuis que je suis en animation au cégep, j'ai jamais autant manqué d'école.

En musique, je me souviens même pas avoir manqué un cours.

Je sentais que chaque parcelle d'information était cruciale et je ne pouvais pas en manquer une seule.

En animation, c'est pas comme ça. Le rythme est lent. On apprend les choses par très petites doses.

15 minutes d'un cours à l'université équivalent à 3 heures de cours de cégep.

Pas étonnant que tout le monde dessine dans les cours.

(Sauf le cours de perspective)

C'est drôle. J'arrive pas à m'imaginer n'allant pas à l'école.

C'est comme... un non-sens.

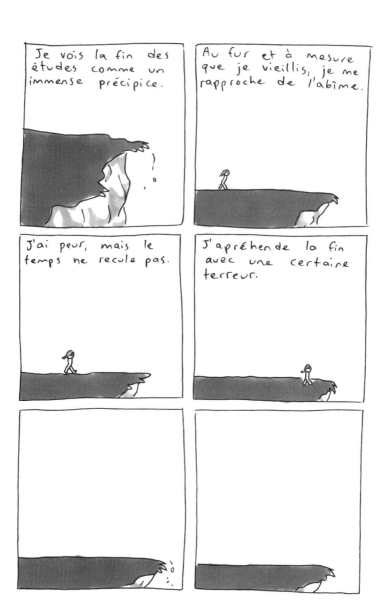

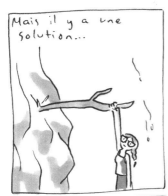
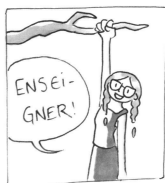
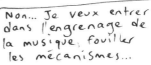
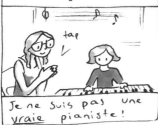
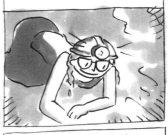
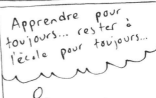
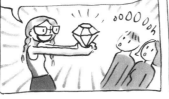
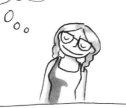

24 mars 2007: l'appart sent l'eau de Javel.

Hulot

Ah non! Pas encore une autre qui va nous parler de son chat!...

Seigneur.

Oui, mais, Hulot, il est particulier.

Ben oui, bravo! Ils disent touttes ça!

Non non non, Hulot, il est vraiment particulier.

Bon, en quoi est-il si vraiment particulier?

Il a la teigne.

Ah... particulier dans ce sens-là...

C'est quoi la teigne? C'est un petit champignon qui se colle à la peau et qui fait des petites plaques qui grattent.

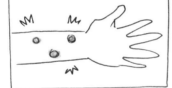

Et c'est contagieux pour les humains !!!

Chaque fois que je touche mon chat, je me lave les mains avec du Purell.

Minou Minou!

Grmbl.

Je dois passer la balayeuse aux 2 jours, laver mon linge tout le temps, désinfecter les plinthes et les tissus avec de l'eau de Javel...

Je l'aime en maudit, mon chat...

oo.

31 mars 2007: le faire ou pas?

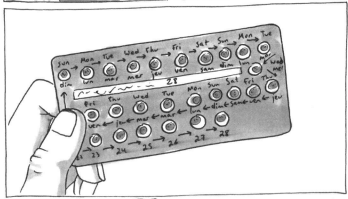

Beaucoup de femmes pensent que ce n'est pas naturel et refusent cette méthode.

...pis là, elle a dit: «Depuis que j'ai arrêté la pilule, j'ai retrouvé ma libido!» Pis là, j'ai dit: «J'veux pas le savoir!»

Eille, j'ai une de mes amies, ben a s'est levée un moment donné pis elle voyait en vitrail!

Elle a essayé de bouger sa jambe pis elle était paralysée! Elle capotait! Elle est allée à l'hôpital.

Ben finalement, c'était sa pilule qui lui faisait pas! Freakant, hein?

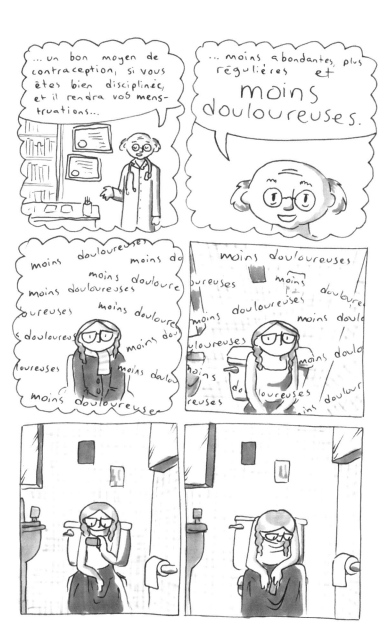

3 avril 2007 : tout fout le camp.

Tantôt, j'ai reçu un courriel:

Envoie-nous le matériel transposé S.V.P.

C'est pas vrai!

J'ai transposé le score mais j'ai oublié de transposer les parties séparées de ma compo pour le festival de B.D. de Québec!

Une faute de DÉBUTANT.

Je passe pour une méchante conne.

J'arriverai là-bas, je vais être « celle qui fait des B.D. pis qui se prend pour une compositrice ».

Parce que ma toune est même pas bonne.

Pour un ensemble de « musiques nouvelles », je m'attire des jugements à coup sûr.

Je suis peut-être juste ça, finalement. Celle qui fait des B.D. pis qui se prend pour une compositrice.

C'est vrai, quoi... composer n'est pas pour moi un impératif, comme l'est la bande dessinée.

caca.

J'arrive à rien qui me plaise de toute façon.

La vérité, c'est que j'ai terriblement honte de la musique que j'écris.

J'ai peur du concert du 13 avril prochain. Ce ne sera plus un concert dans un contexte étudiant. Le public sera inconnu.

Je me sens comme si j'allais au bûcher.

J'ai l'impression que je vais être... comme... humiliée.

... surtout à côté des pièces des autres.

Pourtant, j'étais super emballée de participer à ce concert-là.

Le mix de mes deux passions: la B.D. et la compo! Est-ce qu'on peut rêver mieux? My God!!!

Sauf que quelque chose m'a échappé lorsque j'ai embarqué là-dedans...

Je suis médiocre dans une de es deux passions.

Et je suis inscrite en maîtrise là-dedans.

Et puis je ressens beaucoup de pression pour quitter l'école.

Je me sens comme un déchet social parce que je reste à l'école longtemps.

On me fera pas payer pour des profiteurs qui tètent à l'école!

Mes impôts financent des glandeurs!

J'ai envie de lâcher le cégep.

À chaque matin, c'est un combat pour me lever. Avant chaque cours, je me demande si je peux pas le foxer.

J'en ai foxé un à matin.

J'ai plus beaucoup de motivation pour faire mes travaux.

Bah... je le ferai demain.

Au lieu de les faire, je fais des B.D. ou bien j'analyse des préludes de J.S. Bach.

Je vois plus à quoi bon les faire étant donné que je sais que je reviendrai pas l'an prochain.

L'an prochain! Ahahah!!

281

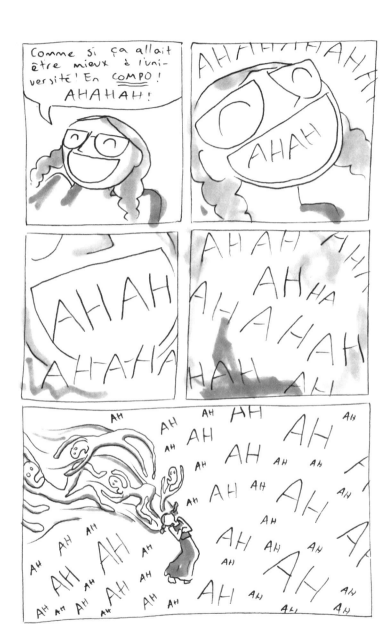

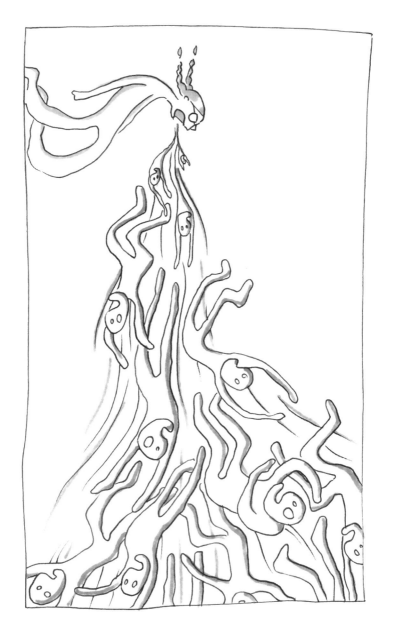

Gardons notre sang-froid.

Abandonner des cours de cégep n'apportera aucune conséquence fâcheuse. Je rentrerai en maîtrise pareil.

Ça pourrait m'alléger. Mais c'est une grosse décision et je pourrais regretter.

Maxime arrive demain de France.

Je suis menstruée.

Il ne faut jamais prendre de décision importante quand on est menstruée.

C'est ça. Terminer mes devoirs. M'appliquer.

Demander des avis. Attendre encore un peu.

En attendant...

Tout fout le camp.

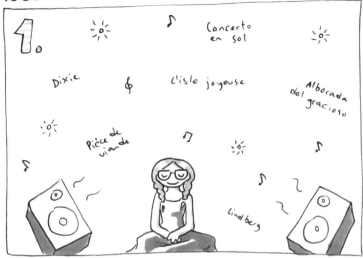

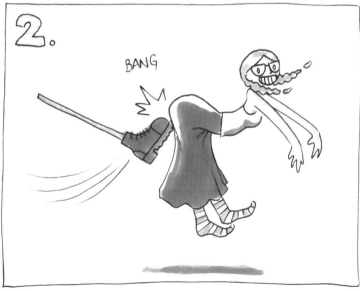

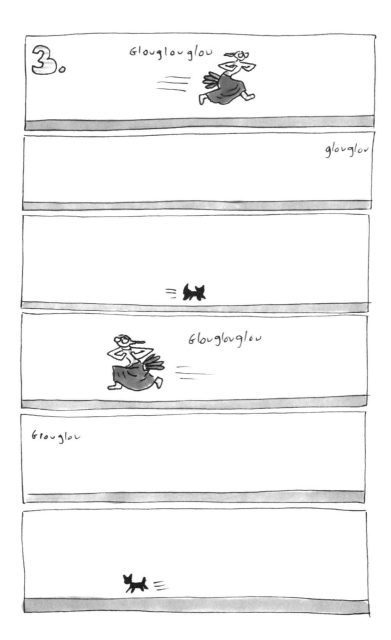

Je pense que je suis une compositrice TONALE qui ne s'assume pas.

C'est tellement mal vu en musique contemporaine, la musique tonale.

J'aime l'analyse parce que je suis en contact direct avec l'harmonie tonale.

C'est comme une fenêtre sur ce qui m'est interdit.

Sur un tabou.

Bon. C'est bien beau tout ça, mais moi, faut que j'aille voir du monde.

Je vais à l'université puis j'ai un atelier de B.D. puis Maxime revient aujourd'hui. Ça tombe bien.

19 avril 2007 :

Mon moral me quitte, aussi. La fatigue l'emporte.

Je vois l'ensemble de mes productions, de mes projets, des trucs dans lesquels je m'embarque...

J'aurais envie de tout lâcher...

...et d'aller me coucher.

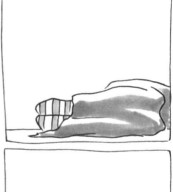

Dormir.

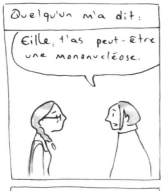

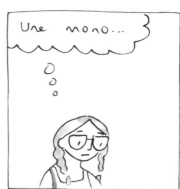

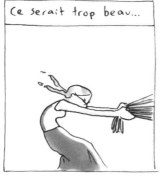

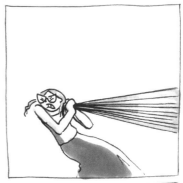

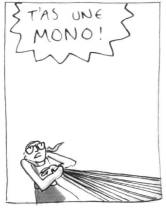

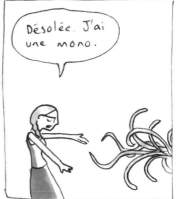

290

Et c'est quoi qui est si exaltant dans le fait d'avoir une mono ?

C'est simple : ça me donne une justification.

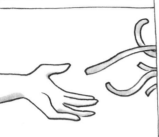

C'est tout ce qui me manque pour tout lâcher : une justification.

Alors, je m'en vais voir le médecin.

Dites AAA.

AAA.

Les poumons vont bien, bon cœur, une petite toux résiduelle... Je ne vois rien qui puisse inquiéter.

Rien ?...

J'ai rien.

Y a au moins un truc qui me tient à coeur dans tout ça :

le projet de site Web avec Luce Beaudet.

C'est mon fil d'Ariane.

22 mai 2007 : ce qu'il me reste

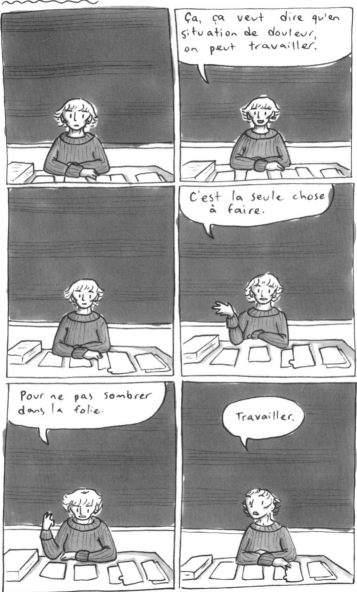

293

En situation de douleur.

TRA-VA-iLLER.

Dans la connaissance. Travailler.

C'est un enseignement extraordinaire.

TOUT peut s'écrouler autour de toi, tu dois continuer à travailler.

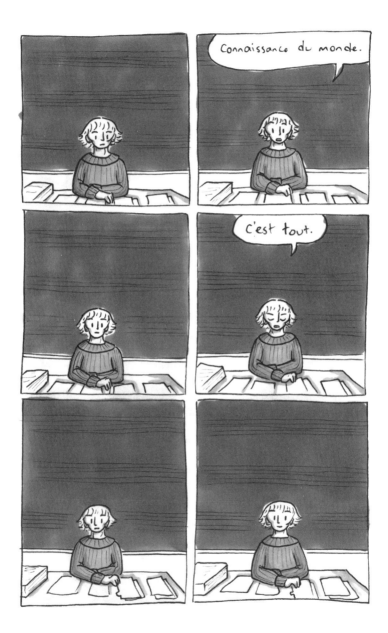

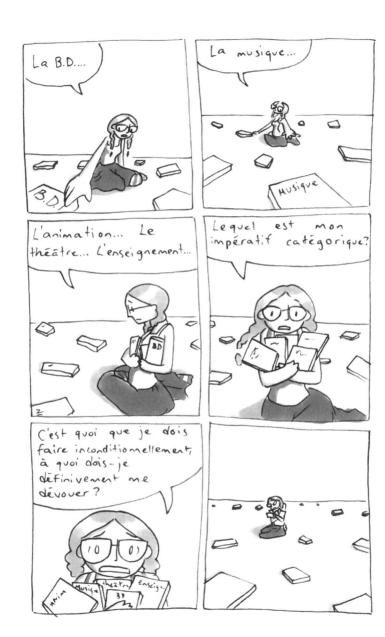

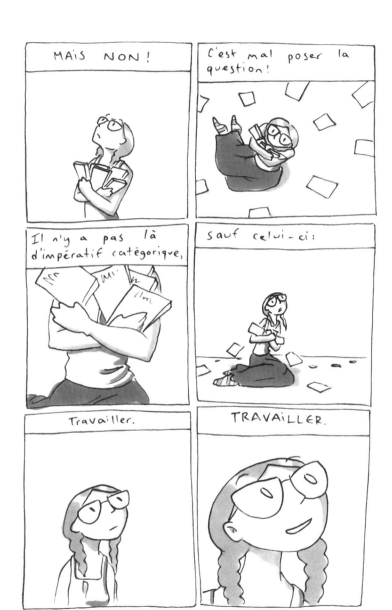

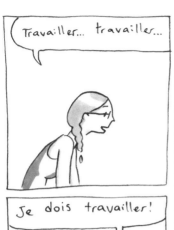

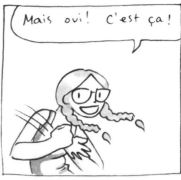

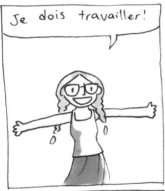

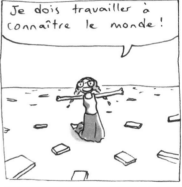

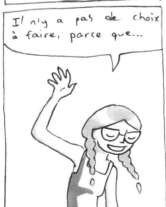

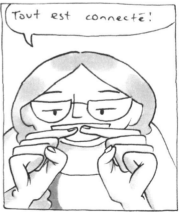

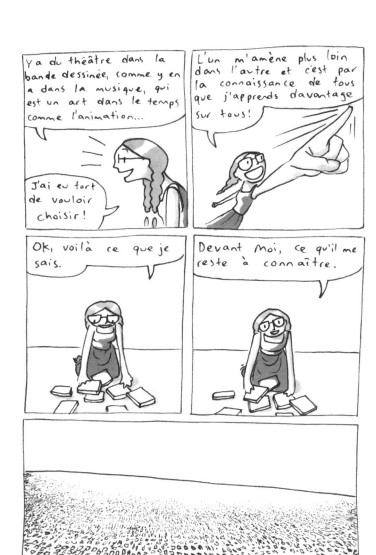

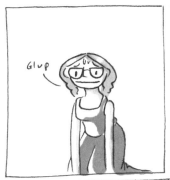

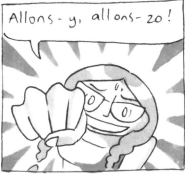

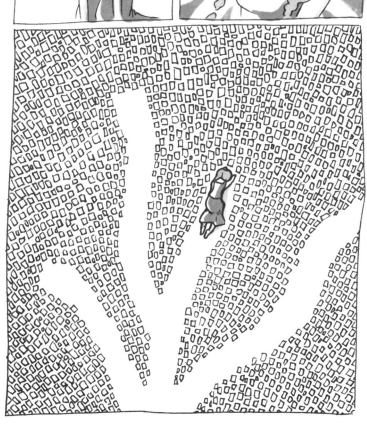

.

Aussi :

- *Le point B* (Monet éditeur, 2006)

- *Quelque part entre 9 h et 10 h* (colosse, 2006)
- *Le monstre* (Grafignes.com, 2006)
- *Dans l'estomac* (Grafignes.com, 2005)
- *Les constats de la vie que l'on constate* (Grafignes.com, 2005)
- *La roche de la passion* (CANIF, 2004)

- *Les pancartes ont aussi des sentiments*, dans Formule n° 1 (mécanique générale, 2006)

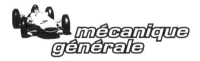

www.mecaniquegenerale.org

D1231762